INVISÍVEIS

INVISÍVEIS

Como o amor nos abre os olhos
para pessoas marginalizadas

TERENCE LESTER

Traduzido por Susana Klassen

Copyright © 2019 por Terence Lester
Publicado originalmente por InterVarsity Press, Downers Grove, Illinois, EUA.

Os textos bíblicos foram extraídos da *Nova Versão Transformadora* (NVT), da Editora Mundo Cristão, sob permissão da Tyndale House Publishers.

Todos os direitos reservados e protegidos pela Lei 9.610, de 19/02/1998.

É expressamente proibida a reprodução total ou parcial deste livro, por quaisquer meios (eletrônicos, mecânicos, fotográficos, gravação e outros), sem prévia autorização, por escrito, da editora.

Edição
Daniel Faria

Revisão
Natália Custódio

Produção e diagramação
Felipe Marques

Colaboração
Ana Luiza Ferreira

Capa
Jonatas Belan

CIP-Brasil. Catalogação na publicação
Sindicato Nacional dos Editores de Livros, RJ

L635i

   Lester, Terence
     Invisíveis : como o amor nos abre os olhos para pessoas marginalizadas / Terence Lester ; prefácio Dave Gibbons; tradução Susana Klassen. - 1. ed. - São Paulo: Mundo Cristão, 2021.
     208 p.

     Tradução de: I see you : how love opens our eyes to invisible people
     ISBN 978-65-86027-86-0

     1. Igrejas e minorias. 2. Igreja e problemas sociais. 3. Amor - Aspectos religiosos - Cristianismo. I. Gibbons, Dave. II. Klassen, Susana. III. Título.

21-68930   CDD: 259.08
                                               CDU: 2-485

Categoria: Cristianismo e sociedade
1ª edição: junho de 2021

Publicado no Brasil com todos os direitos reservados por:
Editora Mundo Cristão
Rua Antônio Carlos Tacconi, 69
São Paulo, SP, Brasil
CEP 04810-020
Telefone: (11) 2127-4147
www.mundocristao.com.br

Dedico este livro a toda criança que passou um dia sem uma refeição ou sem água potável; a toda pessoa sem-teto negligenciada, desprezada ou à qual foi negado abrigo; a toda pessoa à qual foram negados direitos básicos de saúde; a toda pessoa afetada por planos políticos mal elaborados; a toda pessoa vítima da gentrificação urbana decorrente de cobiça e desdém; a toda pessoa que trabalha horas a fio por um salário de fome acrescido de desespero; aos bilhões de pessoas que lutam contra a pobreza em nosso país e no mundo.

Que nosso coração seja tocado para que sintamos sua dor, e que essa dor flua por nossas mãos em forma de serviço.

Eu vejo você. Nós vemos você!

Com afeto (*in memorian*)
a Jason King e ao Reverendo Elroy Moore

Sumário

Prefácio à edição original   9
Prefácio à edição brasileira   13

Introdução: Em busca de um lar   17
1. Desmistificando a pobreza   29
2. Não há motivo para medo   49
3. Criando espaço nas margens de suas páginas   73
4. Quanto é suficiente?   89
5. A ignorância pode ser prejudicial   103
6. Você faz parte da solução   117
7. Comunidades diferentes, necessidades diferentes   129
8. Dignidade e como ver as pessoas   143
9. Criando comunidades   159
10. Criando ritmos constantes   173
Conclusão: Cada um é importante   183

Agradecimentos   191
Perguntas para reflexão e discussão   195
Sobre a organização Love Beyond Walls   200
Notas   201

Prefácio à edição original

Pensaram que tinham nos enterrado, mas não sabiam que éramos sementes.

PROVÉRBIO MEXICANO

Há um bocado de conhecimento e inúmeras palestras inspiradoras sobre como lidar com pobreza sistêmica e situação de rua. Poucos mergulham no trabalho árduo da justiça e perseveram nele. E um número ainda menor ama sem impor condições.

Terence é uma dessas raridades. Ele caminhou mais de mil quilômetros de sua casa até Washington, DC, para divulgar a situação daqueles que lutam para sobreviver nos cantos escuros de nossas cidades. Em prol da mesma causa, caminhou 640 quilômetros até o Hotel Lorraine, em Memphis, para os eventos que marcaram os cinquenta anos do assassinato de Martin Luther King Jr. Terence passou por dificuldades que teriam levado muitos de nós a desistir, mas ele se pôs de pé e começou a caminhar.

Vivemos em uma cultura inebriada com informação; cremos que mudança é sinônimo de ouvir uma revelação que nos cause arrepios. Pode acontecer em um congresso, em um culto da igreja ou enquanto ouvimos nosso *podcast* inspirador predileto. É possível que endorfina seja liberada e cause em nós sensações físicas quando ouvimos uma informação reveladora, mas a verdade é que não mudamos. A verdade é que não fizemos nada. Sentimos algo, mas não agimos em função da realidade que nos foi revelada.

Apaixonei-me por este livro devido ao modo como Terence compartilha as próprias lutas. Aliás, ele vai além de sua história de sofrimento e escolhe entrar no espaço de outros que estão em busca de algo mais. Em vez de escolher o local mais gentrificado e descolado, procura os cantos em que a beleza não fica evidente de imediato.

Terence é um homem com uma missão e busca incansavelmente as sementes plantadas em lugares sombrios e sujos, abaixo da superfície visível à maioria. O contexto de dor dentro do qual ele escreve é real e toca o coração. Sua intenção não é despertar pena, mas prover esperança para todos nós que também sofremos. Não nos desafia a fazer caridade, mas a amar sem condições, sem limites. Ao ler estas páginas, você verá que não falam apenas de pobreza ou de conceitos equivocados a respeito de pobreza; antes, Terence apresenta maneiras reais e comprovadas de tratar da pobreza na prática.

Durante os últimos catorze anos, Terence tem dedicado toda a sua vida, em afetuosa parceria com sua esposa e família, a servir aos vulneráveis presos nas garras mortais da pobreza. Ele teve experiência pessoal, na infância e na juventude, com os traumas e os desafios associados à escassez. Sua voz tranquila e sua amabilidade nascem desses lugares escuros.

Em meio a uma dolorosa jornada, Terence se mostra inteiramente dedicado a sua família e a seu círculo de amigos. Com humildade e amor, questiona atitudes e crenças a respeito daqueles que sofrem com a pobreza. É extremamente criativo, comprometido, pragmático e abnegado. Essas características ficam evidentes em tudo o que ele faz. É possível ver seu foco

PREFÁCIO À EDIÇÃO ORIGINAL 11

aguçado, sua resiliência e sua alegria enquanto ele serve àqueles que geralmente não são vistos, os desajustados e marginalizados. Começou uma ONG que, como extensão natural de seu coração, chamou de Love Beyond Walls [Amor Além dos Muros].

Leia este livro com avidez e permita que Terence lhe comunique gentilmente o que está na alma dele. Terence o ajudará a ver a pobreza com outros olhos. Não deixará que você caia em desespero, mas o conduzirá à terra prometida da esperança, em que soluções reais e amor o aguardam. Prepare-se para reflexões profundas que o levarão a amar além dos muros e participar das mudanças. Acompanhemos o autor a lugares que outros não ousam visitar. Rompamos a escuridão e descubramos mais sementes prontas para ver a luz do dia.

Caminhando com você, Terence!

DAVE GIBBONS
Conselheiro, palestrante e autor

Prefácio à edição brasileira

Confesso que, quando convidado a prefaciar este livro do autor Terence Lester, dois pensamentos permearam minha mente. O primeiro foi afirmar que seria mais uma metodologia com o propósito de impor a colonização na linha *american way of life*, maquiando a desumanidade exercida pelos opulentos, transcrevendo uma vida triunfalista e não revelando as diferenças sociais, raciais e econômicas criadas por aquele país.

O segundo pensamento foi que se tratava de mais um livro carregado de piedade moral, sem relacionamento íntimo e direto com o miserável, descrito nas estatísticas de exclusão da dignidade, legitimando, dessa forma, um evangelho somente de palavra, no qual "deus" está interessado na tríade da felicidade pessoal que corresponde a trabalhar, voltar para casa e ir à igreja.

Os conceitos acima eu concebi ao longo de anos na busca por pensadores que pudessem cooperar com o trabalho realizado pelo ministério do qual faço parte há três décadas, desenvolvendo relacionamentos com pessoas em situação de rua e morando com alguns vulneráveis do centro urbano. Na maioria das vezes, contudo, deparava com métodos e caminhos para a felicidade.

Desta vez, porém, quando iniciei a leitura, percebi nas entrelinhas do livro um ser humano com marcas profundas de sofrimento que não se deixou abater pela violência que recebeu durante a vida. Em lugar disso, foi inspirado por algumas pessoas e principalmente por sua mãe, pobre e solitária, que superou os obstáculos trabalhando e estudando para receber o título de doutora em psicologia. Com isso, o escritor sobrepujou as marcas impostas pela sociedade segregacionista a fim de lutar pelos pobres de seu país.

Admiro pessoas resilientes e abnegadas. Terence Lester, por seus escritos, tornou-se para mim essa pessoa. É, também, um homem aguerrido e determinado, a ponto de fazer duas marchas com uma distância considerável — de Atlanta para Washington e outra para Memphis — sendo afrontado ao longo caminho, tudo isso com o intuito de chamar a atenção dos noticiários para o povo invisível e miserável dos Estados Unidos. Além disso, no livro ele também descreve a organização na qual exerce seu ministério, uma organização comprometida com a vida integral das pessoas indefesas, levando-as a alcançar uma vida menos sofrida.

Ao longo dos capítulos, o autor vai combinando seu conhecimento bíblico com as experiências que vivenciou no passado e vivencia no presente. O objetivo é levar o leitor a ressignificar a própria existência, assumindo o serviço como um estilo de vida, e não um evento. Assim, ao ler este livro, você talvez também consiga encontrar pessoas vulneráveis e com desejo de sair da invisibilidade. Quem sabe possa ser usado por Deus, sem medo, para cooperar na minimização do sofrimento desses seres humanos fragilizados que têm histórias carregadas de significado.

Por fim, Lester denuncia ainda a endêmica ganância de seu país, o sistema capitalista como divisor da sociedade, que valoriza as pessoas pelo que elas adquirem, e o crescente abismo econômico entre ricos e pobres, além de escancarar o longevo racismo em uma nação que se apresenta como cristã e pacífica.

Quero brindar com a Editora Mundo Cristão e com você, leitor, a chegada desta obra imprescindível para as pessoas que servem e que gostariam de dar mais um passo em direção aos *Invisíveis*.

PAULO CAPPELLETTI
Doutor em Ciências da Religião pela Universidade Metodista de São Paulo e fundador da Missão SAL (Salvação, Amor e Libertação), dedicada a atender pessoas em vulnerabilidade nas cidades de Santo André, Itaquaquecetuba e Curitiba

Introdução
Em busca de um lar

Certa manhã de sexta-feira em novembro, fui visitar meu amigo Kurt (que, na época, morava na rua) e levá-lo para tomar café. Estacionei perto de um prédio abandonado no centro de Atlanta, onde ele geralmente ficava. Vi Kurt do outro lado da cerca enferrujada ao redor do prédio. Ele se arrastou por baixo de uma pequena abertura na cerca e parou junto ao carro para conversar comigo. Lixo cobria o chão do lugar em que Kurt e os outros ficavam.

Voltei-me para ele e perguntei:

— Você se importa se eu tirar uma foto sua?

— Me importo, sim — ele respondeu. — Vai usar essa foto pra quê?

— Só quero contar sua história. Falar para as pessoas sobre as realidades que você enfrenta.

— Vamos fazer o seguinte — disse ele. — Se me arranjar um travesseiro, deixo você tirar minha foto.

— Tudo bem. Que tal você pegar o travesseiro que está usando agora? — sugeri. — Você pode colocá-lo na frente do rosto, para ninguém vê-lo. Tiro sua foto, publico nas redes sociais e digo para as pessoas que meu amigo precisa de um travesseiro. Aí a gente vê quem se mobiliza e repara em você. (Não levou mais que uma hora para alguém assumir o compromisso de comprar um travesseiro para Kurt.)

Conversamos por mais um tempo. Rimos e fizemos piadas da vida e de lanches *fast-food*. A essa altura, Kurt e eu éramos

amigos havia mais de três meses, e me senti à vontade para lhe perguntar sobre seus planos. Disse-lhe:
— E aí, cara. Tá frio. E vai esfriar ainda mais.
Enquanto eu falava, via o vapor saindo de minha boca. Prossegui:
— Posso levar você para um albergue... — ele me interrompeu quase de imediato.
— Não, não, não. Pra albergue eu não vou.
— Por quê? Pelo menos você fica protegido do frio e da chuva.

Kurt descreveu o albergue que ele conhecia nas redondezas: o cheiro e o número de pessoas nos quartos, como teve de dormir em cadeiras e o fato de que só havia um banheiro, sem falar na criminalidade ali dentro que tornava impossível pegar no sono.

— É mais confortável aqui — disse ele, apontando para o terreno cheio de lixo em que estávamos. — É mais confortável aqui do que em um desses albergues.

Em seguida, observou:
— Aposto que você não dormiria em um albergue. Aposto que não sobreviveria uma noite ali. E, se sobrevivesse, estaria aqui atrás desse prédio comigo antes de o dia amanhecer.

Fiquei estarrecido. Seu desafio estourou minha bolha de comodidade.

— Eu topo. Vou dormir no albergue! — disse-lhe. Na época, nenhum de nós levou essa declaração muito a sério.

Ele riu.

— Verdade, cara? Não acredito. Você vai ter que me mostrar.

Continuamos fazendo piadas e passamos mais uma ou duas horas conversando antes de eu dizer que precisava buscar o travesseiro dele.

INTRODUÇÃO 19

Entrei no carro com um turbilhão de ideias em minha mente. Três semanas depois, voltei para visitar meu amigo Kurt e lhe dizer que eu ia ficar no albergue. No entanto, o plano não deu certo e, no fim das contas, fui me abrigar debaixo de um viaduto no centro de Atlanta, junto com outras cinquenta pessoas que moravam ali em barracas.

No conforto de nossos lares, é difícil entender a complexidade de coisas como pobreza e situação de rua. É necessário ouvir as histórias daqueles que vivenciam essas realidades: as crianças nascidas nas ruas, pessoas que perdem tudo por causa do falecimento de um ente querido ou em razão de problemas de saúde inesperados, jovens nas ruas em decorrência da instabilidade de suas famílias ou porque se identificam com a comunidade LGBTQ+, mulheres que tentam escapar de violência doméstica e pessoas que perderam um emprego com bom salário. Quer você tenha experimentado esse tipo de realidade quer não, há princípios universais com os quais nos identificamos quando se trata de procurarmos um lar.

Minha busca por um lar

Levou muito tempo para eu entender por que tinha tanto desejo de ajudar aqueles que vivenciam pobreza e situação de rua. Embora essa realidade estivesse ao meu redor na infância e adolescência, nunca tinha morado na rua por um longo período. Ao escrever este livro, porém, comecei a perceber por que essa questão mexia comigo e por que talvez mexa com você.

Meus pais se separaram quando eu era pequeno, e cresci vendo minha mãe lutar para nos criar sozinha. Ela fazia todo o possível para que minha irmã mais nova e eu não precisássemos nos preocupar com o que comeríamos ou onde ficaríamos. Aliás, minha mãe foi minha primeira heroína, e me mostrou desde cedo o poder do trabalho dedicado e da resiliência. No entanto, a separação de meus pais me deixou confuso e, em muitos aspectos, é algo difícil até hoje. Não sei ao certo se os filhos se recuperam plenamente de separações, mas sei que eles nunca se esquecem. Ao olhar para trás, vejo que esse acontecimento desencadeou minha busca por um lar. Levou-me a questionar o que constitui um lar e por que o meu lar pareceu sumir tão repentinamente.

Interiorizei muitas experiências pelas quais passei na infância, o que causou uma série de problemas durante a adolescência. Eu era uma estatística ambulante: tinha um relacionamento precário com meu pai, estava em situação de risco e fazia escolhas imprudentes. Nunca me esquecerei do dia em que me rebelei tanto contra minha mãe que saí de casa e fui morar no meu carro. Era um garoto na metade da adolescência, desencaminhado e à procura de identidade. Disse para minha mãe que não queria mais estudar, uma narrativa comum para um rapaz afro-americano sem o pai presente no lar. Quando ela me disse que se eu quisesse morar na casa dela teria de ir à escola, fui embora. Em retrospectiva, creio que fugi.

Não demorei muito a perceber que o estudo era uma das poucas formas de sair da situação em que estava. Voltei a estudar, mas continuei a morar no meu carro em um estacionamento perto da escola ou na casa desse ou daquele amigo. Muitas vezes, minha mãe nem sabia onde eu estava. Posso apenas imaginar quanta angústia lhe causei. Um amigo, Jeremy, que tinha 18 anos e trabalhava, descobriu que eu estava morando no carro e pediu permissão à mãe dele para que eu ficasse em sua casa alguns dias. O sim da mãe de Jeremy me ajudou a terminar os estudos e a seguir em frente mesmo quando minha vontade era desistir de tudo. Os dias se transformaram em quase um ano escolar inteiro. Jeremy trabalhava à noite. Quando voltava para casa pela manhã, mandava-me ir para a escola. Dava o dinheiro do almoço para que eu não passasse fome. Por vezes, seu incentivo e seu apoio eram o único motivo pelo qual eu ia às aulas. Pegava roupas de um saco de lixo que eu tinha trazido da casa de minha mãe e procurava ir estudar com a mente concentrada. Era indescritivelmente difícil. Ia às aulas arrastado, só porque alguns amigos e a mãe de Jeremy (e quaisquer outros que me considerassem capaz) me davam uma força.

Essas mudanças constantes durante a adolescência, a sensação de que era profundamente mal compreendido e minha falta de entendimento da disfunção familiar eram as manifestações exteriores daquilo que estava acontecendo dentro de mim. Procurava um lugar seguro e estável de pertencimento. A busca por um lar era um tipo de anseio diferente da procura por quatro paredes com uma cerca pintada de branco em redor. Essa busca começou na infância, me acompanhou durante a adolescência e me seguiu até a vida adulta. Qual é meu lugar? Essa é uma pergunta que tenho feito no mais recôndito de meu ser.

Você já se perguntou a mesma coisa?

Qual é nosso lugar? Onde é nosso lar? O que é um *lar*?

O que é um lar?

Um lar não consiste apenas em quatro paredes e um teto. É mais que o lugar onde você descansa a cabeça à noite ou onde guarda seus bens mais preciosos.

Lar é o lugar onde você se sente seguro, onde há pessoas com as quais pode contar e onde você pode ser autêntico.

É um lugar de pertencimento incondicional. Não importa o que você faça nem aonde vá, o lar é o lugar para o qual você volta e ao qual pertence. Talvez nem seja, verdadeiramente, um lugar.

Para alguns, lar é uma pessoa ou um grupo de pessoas. Há quem se sinta em casa quando está em um pequeno grupo na igreja ou adorando a Deus junto com sua família de fé. Há quem encontre um lar em lugares como barbearias ou salões de beleza, entre colegas com os quais pode falar das mazelas da vida e dos problemas sociais. Há, ainda, quem encontre um lar em livrarias e outros ambientes em que interaja com pessoas que o aceitem de modo pleno, sem reservas.

No livro *The Search to Belong* [A busca por pertencer], Joseph R. Myers observa que todos estão à procura de uma varanda. Ele usa a analogia da varanda para representar um lugar de conforto, comunidade e aceitação.[1] Todos estão em busca de um lugar seguro para se sentir em casa.

Para muitos de nós, essa sensação de estar em casa e de pertencer é algo desconhecido. Talvez estejamos mais habituados a nos sentir sozinhos em uma multidão, ou a não saber muito bem para quem telefonar no meio de uma dificuldade. Talvez as pessoas nas quais devêssemos confiar não tenham sido capazes de nos apoiar. Ou talvez nunca tenhamos experimentado plenamente a sensação de pertencimento.

Ao longo da história, a igreja tem oferecido um convite para aqueles que não têm um lar ou um lugar de pertencimento. O objetivo de Jesus é preencher esse vazio e criar uma comunidade de pessoas antes desconexas e à procura de mais que apenas um espaço físico no qual existir. Jesus proclama a boa-nova de que os excluídos são aceitos na família de Deus e têm um lar espiritual com o qual ninguém pode interferir e que ninguém pode tirar deles. Não há liberdade maior para alguém oprimido e esquecido que em palavras de acolhimento e aceitação. O próprio Jesus disse:

O Espírito do Senhor está sobre mim,
pois ele me ungiu
para trazer as boas-novas aos pobres.
Ele me enviou para anunciar que os cativos serão soltos,
os cegos verão,
os oprimidos serão libertos,
e que é chegado o tempo do favor do Senhor.

Lucas 4.18-19

Essa busca por um lugar de pertencimento é ligada ao que chamo de pobreza espiritual. Mais profunda que a pobreza física com que deparamos ao olhar para um homem empurrando uma carroça de madeira, a pobreza espiritual pode estar presente em você e eu. Essa fome não é causada por falta de alimento, mas por falta de vínculos, de pertencimento, de aceitação e de um relacionamento com Deus. Os espiritualmente pobres, em vez de procurar abrigo, procuram um lugar ao qual pertençam e no qual sejam amados.

O reconhecimento de nossa pobreza espiritual nos ajuda a entender de onde vem o conceito de pobreza. Quando conseguimos escutar a história de outra pessoa com o coração aberto e ouvir sua experiência, que talvez pareça diferente da nossa, começamos a fechar a brecha que nos separa de outros. Ter a mente aberta significa aprender a acrescentar às nossas crenças já existentes a valorização da dignidade daqueles que estão empobrecidos.

Se estivermos dispostos a realizar esse trabalho no coração e na mente, é possível que deparemos com novas pessoas ou ideias. Talvez não concordemos com todas elas, mas é desse modo que começamos a ver e amar as pessoas como Jesus fez.

O que é pobreza?

A realidade da pobreza e da situação de rua é difícil de compreender. Envolve política, economia, sistemas, fórmulas para soluções e centenas de barreiras aparentemente complexas. Por um lado, a pobreza sistêmica é complicada. Há centenas de fatores contributivos. Por outro lado, a pobreza pode ser simples.

De acordo com o governo, a pobreza abrange qualquer família de quatro membros que tenha uma renda inferior a dois salários mínimos por mês. Essa mesma família, contudo, não é incluída nessa categoria se ganhar alguns trocados acima desse valor. Ao atribuirmos um número específico para o que qualificamos como "pobreza", não levamos em conta a maior parte dos fatores humanos e das complexidades associadas a essas situações. Proponho que redefinamos esse termo. Pobreza é *falta de acesso*.

As pessoas vivenciam diferentes níveis de pobreza quando não têm acesso a ensino de boa qualidade, água potável, oportunidades de emprego, recursos, atendimento médico, alimentos saudáveis e outras necessidades básicas, o que inclui o dinheiro mas não se limita a ele. Na obra *Jesus and the Disinherited* [Jesus e os desfavorecidos], Howard Thurman fornece uma definição parcial daqueles que não têm opções na sociedade e na cultura. Identifica-os como pobres, desfavorecidos e desvalidos. Escreve:

> Posso contar nos dedos de uma das mãos quantas vezes ouvi um sermão sobre o significado de religião, de cristianismo, para o

indivíduo que não tem opções. É urgente que fique absolutamente claro o que estou dizendo. As multidões vivem em uma situação sem saída. São os pobres, os desfavorecidos, os desvalidos. O que nossa religião diz para eles? A questão não é o que ela aconselha que façam por outros cujas necessidades talvez sejam maiores, mas o que a religião oferece para suprir as necessidades dessas multidões. O esforço para encontrar uma resposta a essa pergunta talvez seja a busca religiosa mais importante da vida moderna.[2]

É verdade que pessoas empobrecidas não têm para onde correr. Uma verdade maior ainda é que esse tipo de pobreza não as impede de encontrar um lar na família de Deus.

Ao longo dos últimos quinze anos, trabalhando de perto com pessoas pobres e em situação de rua, descobri que um dos maiores empecilhos para ajudá-las a superar suas circunstâncias é a maneira como outros as enxergam.

Eis as pressuposições mais comuns a respeito dos pobres:

- São preguiçosos e ignorantes.
- Escolhem ser pobres. Poderiam se esforçar e sair dessa situação se *realmente* desejassem.
- São responsabilidade do governo.
- Não os entendo e não consigo me identificar com eles.
- São criminosos.
- Estão nessa situação por própria culpa.
- Não sei como ajudá-los.
- Não há nada que possamos fazer. Sempre haverá pessoas pobres e em situação de rua.
- Têm sérios problemas espirituais e morais.

Em *The Rich and the Rest of Us* [Os ricos e o restante de nós], Cornel West e Tavis Smiley citam Barbara Ehrenreich para nos ajudar a entender como conceitos equivocados acerca dos pobres sempre foram um dos fatores que os levaram a ser maltratados e aviltados. Ehrenreich diz: "De longa data, a teoria (proveniente não apenas da direita, mas também de alguns democratas) afirma que a pobreza é sinal de que há algo de errado com o caráter da pessoa, que ela tem vícios, que tem um estilo de vida pernicioso, que fez as escolhas erradas".[3]

Na presente obra, desejo contribuir para desconstruir alguns desses conceitos equivocados que temos quanto aos pobres e lhe contar histórias daqueles que estão vivenciando pobreza. Faça uma pausa para se perguntar: "Como vejo os pobres? Quais são minhas pressuposições a respeito de indivíduos que estão em situação de rua e pobreza?". E, talvez algo ainda mais importante, avalie de onde vêm essas crenças.

Por vezes, nossas crenças foram transmitidas por nossos pais, pelos noticiários ou por nossos colegas. No entanto, nossas preconcepções sobre os pobres raramente são verdadeiras. E se todas essas pressuposições não corresponderem à realidade? Só conhecemos alguém de verdade quando nos aproximamos dele. Em 1962, no Cornell College em Mount Vernon, Iowa, Martin Luther King Jr. explicou:

> Estou convencido de que as pessoas odeiam umas às outras porque têm medo uma das outras. Têm medo uma das outras porque não conhecem umas às outras, e não conhecem umas às outras porque não se comunicam umas com as outras, e não se comunicam umas com as outras porque estão separadas umas das outras.[4]

Suas palavras se aplicam a nossos dias. A fim de entender de fato uma situação, muitas vezes precisamos vivenciá-la pessoalmente, ou pelo menos ouvir a história de alguém que a tenha vivenciado. Portanto, ao formar suas crenças e conceitos a respeito das pessoas pobres e em situação de rua, você esteve em situação de rua, ou conversou com alguém que esteve? Será que você tem medo de pessoas nessas circunstâncias difíceis porque está separada delas?

No restante deste livro, você ouvirá histórias de outros e o meu relato pessoal da vida em situação de rua. Para empreender essa jornada, não estou pedindo que você deixe seu lar fisicamente, mas que esteja disposto a se envolver mentalmente nessa investigação. Se o fizer, este livro o conduzirá em uma jornada que o fará entender os pobres de forma diferente. Conversaremos sobre estereótipos, conceitos equivocados, responsabilidades, e a solução para a pobreza epidêmica. É possível que, ao longo do caminho, você também descubra algo a respeito da pobreza que você mesmo vivencia.

Em primeiro lugar, você precisa se perguntar se está disposto a examinar seus conceitos e suas crenças a respeito dos pobres. Ter a mente aberta talvez signifique ouvir alguém que vem de um contexto de vida diferente do seu. Ter a mente aberta talvez signifique ouvir uma perspectiva que não se alinhe, necessariamente, com seu conjunto de crenças. Aprendi que é extremamente difícil antipatizar com alguém ou odiar alguém de perto. Quando você vem a conhecer as esperanças, os medos, os sonhos e as ideias de uma pessoa acerca do futuro, descobre quanta coisa vocês têm em comum. Se deseja honrar a Deus, conheça alguém diferente de você.

Quando um fio é puxado de uma peça de roupa, há o perigo de a peça toda se desfazer, pois esse fio não é independente. Embora pareça isolado, está ligado a todo o tecido. Seria tolice do dono dessa peça de roupa dizer: "Deixe esse fio sofrer, pois foi ele próprio que causou suas dificuldades". Não, o dono da roupa diria: "Vou cuidar desse fio, pois ele prejudica a peça toda".

E se tivéssemos a mesma abordagem ao cuidar dos pobres? E se escolhêssemos ver o sofrimento de uma pessoa como parte do tecido muito maior da humanidade? Juntos, lutamos para encontrar dignidade, valor e segurança. Durante a longa busca, muitos de nós encontramos na fé a resposta que nos resgata da pobreza que assolava nossa alma bem antes de nossa condição econômica ser definida. Comecemos a ver as pessoas.

1
Desmistificando a pobreza

Você alguma vez se sentiu um impostor? Imaginou que, a qualquer momento, as pessoas ao seu redor o descobririam e perceberiam que você não é tão bom quanto elas imaginavam? Foi o que passou por minha mente em 2013, quando me preparava para morar na rua por uma semana. Em parte, ia fazê-lo porque havia prometido a meu amigo Kurt que passaria uma noite em um albergue para tentar convencê-lo de que era melhor que ficar na rua. (Estava enganado.) Também resolvi fazer essa experiência porque sabia que precisava entender, em primeira mão, o que é viver em situação de rua, mesmo que por apenas uma semana. Embora haja uma enorme diferença entre morar na rua por escolha própria e por falta de opção, tinha de me aproximar o máximo possível dessas circunstâncias.

Na noite antes de começar a experiência, não consegui dormir. Perguntei-me como arranjaria alimento, uma barraca, ou como sobreviveria em temperaturas abaixo de zero durante a noite e à chuva prevista para o centro de Atlanta na semana seguinte. Pensei em minha segurança e no que meus filhos diriam de mim ao me verem colocar esse plano em prática. Duvidava que a ideia causasse algum impacto ou fizesse alguma diferença. Não conseguia parar de ruminar perguntas como:

O que mudará se eu fizer isso?
Serei capaz de ajudar alguém?
Sou a pessoa certa para essa experiência?

O remoinho de medos, dúvidas e questionamentos em minha mente continuou até o dia amanhecer. Já havia contado para uma porção de gente o que ia fazer, portanto não podia desistir (embora a ideia tenha me ocorrido).

Naquela noite, minha esposa e meus filhos me levaram de carro para o lugar onde eu iria dormir. Paramos debaixo do viaduto, no acostamento da rodovia.

Cecilia se voltou para mim.

— Pronto — ela disse. — Agora não dá para voltar atrás.

Minha filha, Zion, perguntou do banco de trás:

— Pai, você vai ajudar algumas pessoas?

— Espero que sim — respondi.

Abri a porta de trás do carro e abracei meu filho de 3 anos e minha filha de 6.

— Volto para o Natal. Amo vocês.

O sol já havia se posto e mal dava para enxergar as barracas daqueles que chamavam o espaço debaixo do viaduto de lar. O chão estava úmido por causa da chuva que escorria pelo barranco perto de onde estávamos.

Caminhei até um grupo de pessoas amontoadas umas às outras. Tinha visitado o lugar uns dias antes e avisado que pretendia ficar com elas. Um homem chamado Robert, um daqueles que se abrigavam no local, me reconheceu e correu em minha direção de braços abertos.

Robert tinha passado vários períodos morando na rua desde o início da adolescência. Filho de mãe solteira e viciada em drogas, não demorou muito para seguir os passos dela, o que o levou a sua situação atual. Robert me fez pensar nas muitas pessoas à procura de um lugar para chamar de lar.

Era um sujeito extremamente amistoso: humilde, engraçado

e acolhedor. Foi o primeiro a conversar comigo e perguntar qual era minha história.

Assim que Robert soube por que eu estava lá, encarregou-se de juntar uma porção de itens dos quais eu precisaria para sobreviver. Foi a várias barracas e a vários grupos de pessoas enroladas em cobertores para ver se alguém tinha coisas sobrando. Para minha surpresa, pouco tempo depois ele havia conseguido, dentre seus parcos recursos, uma barraca e alguns cobertores. Tentei lhe dizer que não podia aceitar o que ele tinha arrecadado, pois os outros precisavam mais daquelas coisas do que eu, mas ele insistiu.

— Precisamos ficar unidos — disse ele. — É assim que funciona aqui.

Suas palavras tranquilizadoras e o vento que passava por meu agasalho acabaram com minha resistência, e agradeci a Robert e aos outros por me acolherem com tanta gentileza.

Armei a barraca e arrumei os cobertores. Por um instante, pareceu quase que estava acampando nas férias, mas então olhei ao redor e vi os doentes, os famintos, os enregelados e os desesperados, que, por certo, não estavam em viagem de férias. Eram pessoas lutando para sobreviver.

Outro homem foi até minha barraca, e Robert o apresentou. Mark também morava debaixo do viaduto, e lhe perguntei há quanto tempo estava lá. Enquanto conversávamos, outros do grupo decidiram ir até um albergue para carregar os telefones e tentar conseguir o que comer. Resolvemos ir com eles. Ainda chovia torrencialmente e ventava, mas prosseguimos em meio às intempéries. Logo fiquei sabendo que seria uma caminhada de dois quilômetros e pouco.

Por fim, chegamos ao albergue, encharcados e tiritando com o frio intenso. O local no centro da cidade estava lotado;

só havia espaço para nos sentarmos no chão ou em algumas cadeiras de metal espalhadas pela área de espera. Quando estávamos começando a nos aquecer e a carregar a bateria dos telefones, um funcionário disse:

— Hora de ir embora, pessoal. Precisamos fechar.

Olhei para meus amigos. Teríamos de voltar à chuva e ao frio lá fora. Perguntei ao funcionário:

— Será que não podemos ficar só mais um pouco? Está frio lá fora, e a noite vai ser mais gelada ainda.

Ele respondeu:

— Não fique bravo comigo porque você escolheu essa vida (foram exatamente essas as palavras que ele usou).

Sem saber como responder, meus amigos e eu juntamos nossas coisas e saímos. Tasha se inclinou em minha direção e comentou:

— Está vendo como eles tratam você quando mora na rua?

A pergunta que se repetia em minha mente era: "Como encontrar um lar quando se é tratado dessa forma?".

Posteriormente, descobri que esse abrigo deixou de permitir que pessoas passassem a noite na área de espera, e os sem-teto só podiam ficar ali um período curto antes de ter de procurar outro lugar. É verdade que o albergue oferecia programas em outros andares, onde era possível dormir. Para receber os serviços, porém, era preciso ser viciado em algum tipo de droga, e cada programa só podia auxiliar determinado número de pessoas.

— Tem outro albergue menos de dois quilômetros adiante — disse Mark.

Para mim, era quase inimaginável andar mais essa distância debaixo de chuva e no frio, mas os segui em silêncio. Uma vez que ainda não havíamos jantado, perguntei a Mark como conseguiríamos alimento.

— Não sei — ele respondeu. — Ore. Ore para que alguém traga alguma coisa.

No entanto, ninguém trouxe nada, e o albergue seguinte não tinha alimento nem espaço. Fomos mandados embora, ainda ensopados, ainda enregelados. Mark disse que a melhor coisa a fazer era pedir alimento. Levou-me até uma esquina movimentada onde ficamos parados na chuva, pedindo dinheiro para comprar algo para comer. Meu celular estava quase sem bateria, minhas meias e sapatos estavam encharcados, e ninguém nos deu nada. Sem outras opções ou lugares para ir, resolvemos voltar. Caminhamos até o local debaixo do viaduto, arrastei-me para dentro da barraca e imaginei que, se eu dormisse, talvez a noite passasse mais rápido.

Não tinha papelão nem qualquer outro forro para colocar debaixo da barraca. Quando me deitei no piso fino de vinil da barraca, senti cada pedra, cada irregularidade e cada aresta, bem como a terra molhada debaixo de mim.

Não aguentei mais que alguns minutos. Saí da barraca e perguntei a Robert:

— Como você faz? Como consegue dormir no chão desse jeito?

— Não sei. A gente simplesmente dorme.

De volta à barraca, deitei-me sobre as pedras e tentei pegar no sono. Não conseguia sentir os dedos dos pés na umidade fria de inverno. O cascalho parecia ainda mais duro por causa da queda de temperatura. Algumas barracas ficavam grudadas umas nas outras, talvez por que a proximidade gerasse um pouco de calor adicional, ou talvez não. O pessoal estava frustrado com as condições do tempo, imaginando se sobreviveria àquela noite. Perguntei-me a mesma coisa.

Depois de alguns minutos, ouvi pessoas discutindo ao lado de minha barraca. Uma mulher gritava com o homem perto dela:

— Cadê? Cadê?

E o homem respondia repetidamente:

— Sei lá. Não sei do que você está falando.

Coloquei a cabeça para fora a fim de ver qual era o motivo da briga. Eles disseram que um galão de água tinha sumido. Ajeitei-me outra vez na barraca e os ouvi discutir por mais alguns minutos. Não estava acostumado a brigas por algo tão básico. Ninguém tinha cortado o outro no trânsito, nem estavam discutindo sobre o restaurante no qual iriam jantar. Estavam brigando por causa de água!

O ciclo de tentar dormir, levantar, conversar com outros do lado de fora, perder a sensação nos dedos das mãos e dos pés, e tentar dormir novamente se repetiu a noite toda. Foi quando comecei a conversar com um sujeito chamado Sam. Estávamos perto de um tambor de metal onde os membros da comunidade, para se manter aquecidos, queimavam roupas que tinham sobrado de uma doação. Sam não era muito comunicativo, mas acabou me falando um pouco a seu respeito. Disse que havia se casado jovem, mas tinha descoberto que a esposa o traíra. Ela também tinha lhe transmitido HIV e, logo depois, o abandonado.

Sam se mudou para Atlanta e conseguiu um emprego temporário, mas continuou a lutar contra depressão e isolamento. Por fim, a depressão o consumiu; não conseguia se levantar para trabalhar e não sabia o que fazer para tratar do problema. A incerteza a respeito de como lidar com suas circunstâncias o levou a pobreza física ainda mais profunda e, por fim, à beira da rodovia, com dezenas de outros. Toda vez que penso nesse isolamento, sou tomado de tristeza.

Perguntei-lhe sobre meus pés:

— Cara, como você faz? Meus dedos estão congelando.

Ele foi até sua tenda e trouxe para mim seu último par de meias doadas.

— Você não vai precisar delas? — perguntei.

— Não. Pode usar. Você precisa aguentar as pontas até amanhecer.

Abismado com a generosidade dessas pessoas que tinham tão pouco, disse-lhe que não podia aceitar as meias, que ele precisava delas mais que eu. Juntos, ficamos olhando para o fogo por mais alguns minutos. Vi meu amigo Mark em um dos barrancos junto à rodovia perto do estádio de beisebol. Fui até lá e fiquei parado perto dele por alguns minutos, em silêncio, vendo os carros passarem.

Mark quebrou o silêncio:

— É por isso que respeito você, mano. A maioria do pessoal de igreja vem aqui, entrega umas coisas e vai embora. A gente talvez nunca os veja de novo, mas você está aqui com a gente.

Fez uma pausa e prosseguiu:

— Olha os carros. Olha as pessoas passando. Por que não param e enxergam a gente? Sabem que 'tamo aqui. Sabem que 'tamo aqui.

Balançou a cabeça repetidamente.

— Sabem que 'tamo aqui... sabem que 'tamo aqui.

E ele tinha razão. Nós sabemos. Sabemos que milhões de pessoas vão dormir com fome em nosso país. Milhares delas estão em nossas cidades. Muitas estão em nossa vizinhança, ao nosso lado.

O que nos separa? O que nos mantém distantes? O que cria essa barreira misteriosa?

A verdade sobre a superação da pobreza

Precisamos reconhecer que, na melhor das hipóteses, somos apáticos em relação aos pobres e aos homens, mulheres e crianças que moram debaixo de viadutos. O que seus pais faziam quando vocês passavam de carro por alguém pedindo dinheiro na rua? Miravam firmemente adiante. Não os olhavam nos olhos. Aposto que fazemos algo parecido com os pobres, com os que estão em situação de rua. A maioria ignora essas pessoas.

Alguns meses atrás, fui a Nova York e peguei o metrô com um amigo que mora lá. Um homem que pedia trocados entrou em nosso vagão, e meu amigo se inclinou para mim e disse:

— Não olhe para ele. Se você tomar conhecimento dele, não vai lhe dar sossego. Ignore-o.

Fiquei surpreso com essas instruções ríspidas para evitar o sujeito em dificuldades diante de nós, mas creio que meu amigo disse o que a maioria das pessoas pensa.

É mais fácil desviar o olhar mesmo quando alguém está parado diante de nossa janela no escuro, debaixo de chuva torrencial. E também racionalizamos: "Afinal, o que posso fazer? E se gastarem o dinheiro com bebida alcoólica? Não tenho trocado". É bem mais fácil olhar fixamente adiante e escolher não ver pessoas que enfrentam dificuldades extremas. Por quê? Porque no momento em que escolhemos reconhecer alguém em sofrimento, precisamos resolver se vamos interagir com amor, generosidade e graça.

Aposto que a maioria de vocês que estão lendo estas palavras sente, nessas ocasiões, um puxão desconfortável ou tem a impressão de que deveria ajudar mais. Mas o farol abre, e logo nos esquecemos do homem parado na chuva junto ao meio-fio, passando fome.

Nos Estados Unidos, vivemos dentro de sistemas cujos programas ajudam algumas pessoas e prejudicam outras. Hoje, muitos diriam que nosso país nunca foi tão justo e equitativo. Creio que essa ideia tem uma parcela de verdade, mas precisamos nos lembrar de algumas coisas que nos ajudam a entender o presente momento.

O movimento a favor de direitos civis terminou em 1968. Apenas cinquenta anos atrás, homens, mulheres e crianças afro-americanos lutavam para ser considerados iguais pela lei dos Estados Unidos. Apenas *cinquenta* anos atrás, eram negados a essas pessoas direitos civis básicos em razão da cor de sua pele. Uma parte expressiva de nossa população hoje viveu durante esse movimento. Diante disso, como podemos crer racionalmente que não são mais percebidos os efeitos de um sistema e um governo que apenas cinquenta anos atrás se opunha a toda uma raça? Os efeitos, o preconceito e a dor ainda são sentidos. Da mesma forma que o racismo sistêmico continua a exercer sua influência hoje, nossa sociedade ainda sente os efeitos de um sistema que eleva alguns enquanto empurra outros para baixo. Essa realidade abarca fatores que vão além de raça, e trataremos de algumas causas específicas por trás da pobreza; por ora, contudo, estamos falando do quadro mais amplo.

Há uma narrativa maior, mais abrangente, em que as pessoas são tratadas de modo diferente, e em que algumas são tratadas como se não fossem humanas por causa de sua aparência, daquilo que têm, de quem conhecem, de sua condição socioeconômica, e mais. Nas Escrituras, Deus repudia esse desdém pelos pobres e marginalizados. Em Provérbios, Salomão escreve esta verdade incisiva:

> Não explore o pobre só porque tem oportunidade,
> nem se aproveite do necessitado no tribunal.
> Pois o SENHOR defenderá a causa deles;
> pagará na mesma medida a todos que os exploram.
>
> Provérbios 22.22-23

Precisamos começar a lutar contra a ideia de que nós e os poderes que controlam nossa sociedade temos autoridade para tratar quem quer que seja de modo injusto e desigual. Quando nos beneficiamos de um sistema, é difícil perceber a injustiça por trás dele, e pode ser ainda mais difícil mudar de uma forma que talvez não nos beneficie. Uma citação bastante conhecida na internet, do autor David Gaider, reflete essa mentalidade: "Privilégio é quando você pensa que algo não é problemático só porque não é problemático para você pessoalmente".[1]

Durante algum tempo, tive uma luta interior com a ideia de como ajudar as pessoas a saírem da pobreza e da situação de rua. Quando era jovem, adotei o lema de nossa cultura: "Qualquer um pode alcançar o sonho americano" e, se você está tendo dificuldade, precisa apenas "se esforçar para sair dessa situação e trabalhar com mais afinco!". Uma vez que essas crenças estão arraigadas em nossa cultura, por que nos preocuparíamos com pessoas nas ruas que deveriam ser capazes de trabalhar mais e envidar esforços para sair de sua situação?

Uma pesquisa da Brookings Institution mostra que, na verdade, existe a probabilidade muito maior de que os ricos continuem ricos e os pobres continuem pobres.

Rendas estagnadas e redução nos salários significam que um número menor de americanos está crescendo em situação melhor que a de seus pais. A mobilidade intergeracional ascendente absoluta era, outrora, quase universal entre os jovens americanos. Não é mais o caso. Entre aqueles que nasceram em 1940, cerca de 90% dos filhos chegaram a ter uma renda maior que a dos pais, de acordo com pesquisadores do Equality of Opportunity Project [Projeto Igualdade de Oportunidades]. Essa proporção era de apenas 50% na década de 1980.[2]

Pesquisadores da Johns Hopkins University acompanharam oitocentos alunos durante 25 anos e descobriram que o futuro dos alunos era determinado, em sua maior parte, pelas famílias em que haviam nascido.

Perto dos 30 anos, quase metade da amostra se viu na mesma condição socioeconômica que seus pais. Os pobres continuaram pobres; os mais abastados continuaram mais abastados.

Apenas 33% dos filhos se moveram do nível de baixa renda das famílias para o nível de renda elevada no início da vida adulta; se a família não tivesse nenhuma influência sobre a perspectiva de mobilidade dos filhos, seria de esperar essa mudança em quase 70% dos alunos. E, daqueles que começaram com melhor situação financeira, apenas 19% caíram para o nível de baixa renda, um quarto do número esperado. [...] Dos filhos de famílias de baixa renda, apenas 4% tinha formação universitária aos 28 anos, comparados com 45% dos filhos de famílias de renda mais elevada.[3]

Há dezenas de motivos pelos quais esse ciclo de pobreza persiste. Consideremos em maiores detalhes uma das barreiras mais simples para a superação da pobreza. (Tenha em mente que essa é apenas uma perspectiva limitada de um problema complexo.) Um dos primeiros passos para sair da pobreza, ou pelo menos da situação de rua, é conseguir emprego. De modo mais fundamental, as pessoas que vivenciam pobreza precisam de recursos e dinheiro para obter aquilo de que necessitam para sobreviver. Tomemos como exemplo uma pessoa apta para trabalhar (o que exclui os idosos, os veteranos incapacitados ou aqueles que sofrem de doenças crônicas, barreiras ainda mais difíceis de superar), alguém que vemos na rua e que poderia, teoricamente, conseguir emprego.

Do ponto de vista logístico, quando você é contratado para um trabalho, a menos que seja para cortar a grama do vizinho e fazer outros pequenos serviços, precisa de carteira de identidade. Na Georgia, estado em que moro, estes são os requisitos para obter uma carteira de identidade:

- Prova de identidade, como passaporte ou certidão de nascimento, e comprovante de registro no Sistema de Seguro Social (um documento) ou um cartão ou formulário W-2. (A maioria dos adultos não sabe do paradeiro de sua certidão de nascimento e não tem um cartão de Seguro Social, especialmente quem está em situação de rua ou em abrigo temporário. Quem deseja tirar uma carteira de identidade para obter um emprego provavelmente também não tem acesso ao formulário W-2.)
- Comprovante de residência no estado da Georgia (dois documentos), como conta de luz, água ou gás recente, declaração financeira recente (banco, cartão de crédito, etc.) ou um contrato de locação em vigor. Também nesse caso, quem está saindo de situação de rua ou não tem residência fixa encontra dificuldade de provar que mora em um local ou tem conta bancária.
- Pagamento da taxa para a carteira de identidade (32 dóla-

res). Essa também é uma barreira que chama a atenção. Para a maioria de nós, esse valor não parece proibitivo. Imagine, porém, alguém que esteja tentando provar sua identidade, provar que existe e, por não ter 32 dólares, tenha essa possibilidade negada. Não há como provar sua identidade sem desembolsar uma (pequena) soma em dinheiro.

Um artigo do jornal *Washington Post* cita o advogado Chard W. Dunn:

> Quase toda semana fico sabendo de alguém que não consegue uma carteira de identidade em razão de pobreza, problemas de transporte, ou por incompetência do governo. Por vezes, funcionários públicos não sabem o que a lei exige. Pessoas faltam no trabalho para pegar a certidão de nascimento supostamente gratuita. Pobres sem carro e sem acesso à internet acordam, pegam o ônibus, fazem algumas baldeações, ficam na fila por uma hora e, então, são informados de que não têm a documentação correta, ou de que há uma taxa (que eles não têm condições de pagar). Muitos simplesmente desistem.[4]

Esses são apenas os obstáculos para obter uma carteira de identidade. E esse é apenas o primeiro passo para conseguir emprego.

Digamos que alguém supere essas barreiras. Consegue a carteira de identidade e, talvez, até mesmo um emprego que pague um salário mínimo. Você seria capaz de viver com um salário mínimo, tendo em conta suas responsabilidades e seu estilo de vida atual?

A maioria das famílias que vive em pobreza tem apenas uma fonte de renda. Isso significa que um salário mínimo sustenta uma família de três ou quatro pessoas. Algumas consequências são moradia precária, crianças desnutridas e pessoas que recebem pouca ou nenhuma ajuda para fugir da pobreza. Uma vez que os custos de bens e serviços estão sempre subindo, enquanto os salários permanecem os mesmos, é difícil ter uma vida estável. Acrescente a esse quadro imprevistos como a morte de um cônjuge, uma multa, ou medicamentos para uma enfermidade incontrolável.

Estamos falando apenas de números. Não estamos levando em conta a qualidade de vida e o alto custo emocional de crescer em situação de pobreza. Arthur Dobrin menciona um estudo realizado pelo Boston Children's Hospital segundo o qual negligência psicológica e física severas produzem alterações mensuráveis no cérebro das crianças.[5]

Crianças que vivem em pobreza têm altos níveis de estresse, pois passam fome e não sabem onde vão dormir na semana seguinte. Muitas moram em bairros violentos, mudam de casa duas vezes mais, são despejadas cinco vezes mais que a média dos americanos e têm maior probabilidade de sofrer *bullying* na escola.

Estresse e pobreza são interdependentes. Os que vivem nessas condições dificilmente têm acesso a atendimento médico e condições de adotar um estilo de vida mais saudável, e o estresse crônico aumenta seu risco de doenças cardíacas, pressão alta, diabetes e depressão. Você pode imaginar como é tentar manter um estilo de vida saudável e equilibrado ao mesmo tempo que luta contra inúmeros fatores que o tornam mais vulnerável? Fugir da pobreza levando em conta as barreiras físicas é difícil, mas se acrescentamos a elas o peso emocional, é quase impossível. Não é tão simples quanto gostaríamos de crer. Fiquei estarrecido quando li um artigo de

Gillian B. White publicado na revista *The Atlantic* sob o título "Para sair da pobreza, são precisos quase vinte anos sem que quase nada dê errado". Ela escreve:

> Vários fatores contribuíram para a desigualdade nos Estados Unidos: escravidão, políticas econômicas, mudanças tecnológicas, o poder do *lobby*, globalização, e assim por diante. O que resta como seu resultado?
>
> Essa é a pergunta no cerne do livro recém-lançado *The Vanishing Middle Class: Prejudice and Power in a Dual Economy* [A classe média em extinção: Preconceito e poder em uma economia binária] de Peter Temin, economista do Instituto de Tecnologia de Massachusetts. Temin afirma que, depois de décadas de desigualdade crescente, os Estados Unidos agora têm, em maior ou menor grau, um sistema de duas classes: uma classe alta predominantemente branca que detém uma porção desproporcional do dinheiro, do poder e da influência política, e uma classe baixa com grande parcela de minorias (mas ainda branca em sua maior parte) frequentemente sujeita aos caprichos do primeiro grupo.
>
> Temin identifica dois tipos de trabalhadores naquilo que chama de "economia binária". O primeiro é constituído de especialistas com elevado conhecimento técnico e de administradores com ensino superior e salários altos, concentrados especialmente em áreas como finanças, tecnologia e eletrônicos, daí a sigla "setor FTE". Constituem aproximadamente 20% dos cerca de 320 milhões de pessoas que vivem nos Estados Unidos. O outro grupo é formado por trabalhadores pouco especializados que ele chama simplesmente de "setor de baixo salário".[6]

Pobreza e dignidade

Meu amigo John trabalha com crianças de conjuntos habitacionais em Atlanta. Tornou-se bastante próximo de uma família e começou a ajudar a mãe das crianças a se reerguer, especialmente na obtenção de auxílio para alimentação.

Os dois foram a uma repartição pública em um local longe do centro da cidade. Levaram uns 45 minutos para chegar lá de carro, mas, se houvessem usado transporte público, teriam levado cerca de três horas. John e Nancy entraram em uma sala pequena com dez computadores de um lado e cinquenta pessoas do outro esperando para usá-los. Todos os computadores tinham ao lado instruções complicadas de *login*. "Para alguém como eu, que usa computadores e sabe ler", John me contou, "as instruções eram extremamente complexas."

As instruções diziam para *não* preencher o formulário corretamente. Era necessário preencher o primeiro formulário incorretamente para obter acesso ao sistema. O sistema não havia sido atualizado e, portanto, se alguém estivesse tentando renovar o auxílio para alimentação, tinha de dizer que nunca havia recebido esse auxílio para acessar a página de requerimento. "Depois disso, era necessário preencher um longo questionário. Levamos uma hora e meia para conseguir enviar o formulário", John comentou.

Nancy não conseguiu decifrar as instruções. John sentou-se ao lado dela para esclarecer cada pergunta e ajudá-la a escrever as respostas. "Estamos falando de analfabetos funcionais, que não têm experiência no uso de computadores. Vi duas pessoas irem embora sem terem completado o formulário. Havia apenas uma funcionária para ajudar dez pessoas que estavam usando os computadores."

Mesmo depois de enviar o formulário, a solicitação não é atendida de imediato, o que significa que as pessoas vão embora sem receber o auxílio para alimentação.

John relatou: "Perguntei à funcionária que estava trabalhando se havia alguma coisa a ser feita para ajudar minha amiga Nancy enquanto a solicitação não era aprovada. Nancy não tinha mais recursos do auxílio anterior e não tinha comida. Eu tinha ouvido falar de auxílio emergencial e queria saber se minha amiga podia recebê-lo. A funcionária olhou para mim e disse em tom um tanto ríspido: 'Você pode comprar comida para ela'. Essa era a única saída oferecida para alguém que não tinha o que comer. É um sistema sem dignidade", concluiu.

Não é possível ir contra o sistema, nem adianta muito para quem está tentando sair da situação de pobreza. Quero desmistificar as ideias de que a pobreza é sempre uma escolha, de que há uma fórmula a ser seguida para sair da pobreza, e de que a pobreza pode ser ignorada por aqueles que não são afetados por ela.

Reconheço que poderia muito bem ter sido eu nessa situação. Alguns de nós não nos damos conta de que, em um piscar de olhos, sem um sistema de apoio para nos amparar, nossa vida inteira pode virar de cabeça para baixo.

Alguns meses atrás, uma mulher em uma Mercedes branca parou na frente de nossa organização no dia em que estávamos distribuindo alimentos para famílias necessitadas. Não é todo dia que vemos um carro de luxo em nosso estacionamento, e muitos se voltaram para olhar. A mulher saiu do carro e entrou na fila.

Fui até ela e perguntei:

— Você veio trabalhar como voluntária?

— Não — ela respondeu. — Vim aqui porque fiquei sabendo que vocês fazem doações.

— A senhora poderia me acompanhar? Há outra entrada aqui — caminhei com ela em direção à porta dos fundos.

Fiz algumas perguntas para entender melhor qual era sua situação.

— Estou envergonhada de vir aqui — ela disse entre lágrimas. — Fui demitida seis meses atrás e estou começando a perder tudo. Tenho doutorado. Fiquei extremamente encabulada de estacionar aqui e pedir alimento.

Não estou contando essa história para humilhar a senhora em questão, mas para mostrar que todos precisam ser vistos, e que todos nós estamos sujeitos a ir parar do outro lado.

Levei-a de volta à entrada e procurei fazê-la sentir-se menos constrangida. Depois que ela recebeu os alimentos, acompanhei-a até o carro. Começou a chorar, me deu um abraço e disse:

— Muito obrigada por estar aqui.

Quero deixar bem claro que não estou promovendo a mim mesmo nem nossa organização porque ajudamos alguém que estava passando por uma dificuldade. Também não estou dizendo que devemos todos resolver os problemas do mundo por meio desse tipo de assistência. Compartilho esse relato apenas para mostrar a espécie de amparo que não deixa as pessoas passarem despercebidas na sociedade e serem esquecidas para sempre. Esse amparo não só ajuda a tratar de carências temporárias, mas também lembra a pessoa de que ela não é invisível e de que tem um lar.

Cada história de pobreza é diferente, singular e surpreendente. As pessoas chegam a essas situações de inúmeras formas. Os tipos de pobreza também são diversos: física (falta de moradia ou vestuário) e espiritual (falta de ligações, propósito, família ou amor).

Nunca me esquecerei de como eram pontiagudas as pedras debaixo do piso da barraca enquanto eu tentava dormir ao viver propositadamente em situação de rua. Não me esquecerei de como foi caminhar na chuva fria e da vergonha intensa de mendigar por uns trocados. Ainda me lembro do rosto daqueles que passavam por mim, me ignorando, fingindo que eu não estava lá.

O que isso significa para nós? Nós que temos amparo, um lar onde dormir e dinheiro suficiente para comprar o que comer, desempenhamos qual papel em algo tão complexo e sistêmico? O primeiro passo é reconhecer nossa situação privilegiada e começar a trabalhar para a criação de um ambiente mais justo para todos.

Falo de nossa pobreza espiritual porque ela é uma de nossas ligações mais fortes com aqueles que sofrem por terem menos. Paulo disse que o próprio Jesus se tornou pobre para que pudéssemos nos tornar ricos: "Vocês conhecem a graça de nosso Senhor Jesus Cristo. Embora fosse rico, por amor a vocês ele se fez pobre, para que por meio da pobreza dele vocês se tornassem ricos" (2Co 8.9). Ele está se referindo à riqueza no relacionamento com Deus. Jesus se tornou pobre para que pudéssemos sair de nossa pobreza espiritual.

Devemos ter essa mesma forma de pensar quando deparamos com os pobres. Todos sabemos o que é ser rejeitado, ignorado e não ter algo que desejamos e de que precisamos encarecidamente. Desafio você a pensar nessas experiências e imaginar como seria crescer na pobreza e viver em necessidade constante. Em que você acreditaria a respeito de si mesmo e de suas aptidões? Em que acreditaria a respeito do mundo ao seu redor se vivenciasse constantemente estresse, fome e vergonha?

Estamos acostumados a complicar demais o assunto e transformá-lo em uma questão de política, de teorias e de números, mas esquecemos que estamos falando de pessoas reais, que são importantes para Deus. Tornamos o assunto tão confuso que ele sai de nosso alcance, de nossa capacidade de fazer mudanças ou exercer algum impacto. A ordem da Bíblia é simples:

> Fale em favor daqueles que não podem se defender;
> garanta justiça para os que estão aflitos.
> Sim, fale em favor dos pobres e desamparados,
> e providencie que recebam justiça.
>
> Provérbios 31.8-9

É tempo de desconstruir nossas narrativas a respeito dos pobres, começar a tratar de suas necessidades e das injustiças que enfrentam, e considerar como podemos apoiar uma comunidade justa para todos.

2
Não há motivo para medo

"Quero fazer algo para ajudar", uma senhora me disse, "mas... morro de medo." Esses momentos, que acontecem com frequência, são especialmente difíceis para mim. Em algum lugar ao longo do caminho, aqueles que sofrem com pobreza e situação de rua deixaram de ser os mais vulneráveis e marginalizados e passaram a ser vistos como vilões a serem temidos.

Medo é, por definição, um sentimento causado pela convicção de que alguém ou algo é perigoso, provavelmente causará dor ou representa uma ameaça. Sentimos medo o tempo todo. É o friozinho na barriga quando o carro da montanha-russa sobe lentamente. É a adrenalina que corre por suas veias quando alguém salta do escuro e grita: "Buuuu!".

Quando foi que começamos a associar tais emoções a uma pessoa necessitada e senti-las ao ver essa pessoa? E, mais importante, por quê?

A lista de fatores que contribuem para o medo é longa. Raça, política, aquilo que nossos pais nos ensinaram, aquela história que ouvimos no noticiário, o filme que vimos quando éramos criança — tudo isso gera medo. Descobri, porém, que esse medo nasce de algo mais profundo: aquilo que não conhecemos.

Temos medo do desconhecido.

Nós, seres humanos, sempre tememos coisas e pessoas que

não nos são familiares. Somos mais propensos a estar em comunidade com aqueles que se parecem conosco e falam como nós. Há certa segurança nas coisas conhecidas. Você já foi a uma nova cidade ou lugar? Pode ser desagradável ou perturbador ter de se localizar sozinho em terra incógnita, não mapeada.

Por esse mesmo motivo, crianças, e de vez em quando até mesmo adultos, têm medo do escuro. Se você não consegue enxergar, não tem como saber o que está ali, e o desconhecido pode inspirar terror. Por isso transformamos em monstros os vulneráveis e famintos.

O medo é resultado de mitos, notícias tendenciosas, percepções equivocadas, ideologias políticas, discriminação de classes e uma cultura que nos ensinou que posses geram valor.

Cultura, bens e valor

Que conclusões você tiraria a meu respeito se eu chegasse a uma reunião em um carro de luxo, trajando terno e gravata? Pensaria: "Puxa, ele deve ser um sujeito importante"? Ou quem sabe: "O que ele faz da vida?". Sua percepção mudaria se eu aparecesse em um carro velho e detonado e vestisse roupas manchadas?

A cultura nos treinou para associar os bens físicos de uma pessoa a seu valor e *status*. Decidimos coletivamente que ter uma casa maior, um carro melhor ou o último modelo de telefone significa que a pessoa é mais importante, mais estimável, mais valiosa. E o que acontece quando atribuímos valor às pessoas com base em seus bens? Nosso modo de tratá-las e a outros ao seu redor muda. Começamos a atribuir valor a coisas exteriores em vez de considerar o valor e as qualidades interiores dados por Deus a cada indivíduo. As Escrituras dizem claramente que fomos criados à imagem de Deus:

> Assim, Deus criou os seres humanos à sua própria imagem,
> à imagem de Deus os criou;
> homem e mulher os criou.
>
> Gênesis 1.27

Essa imagem, ou *imago Dei*,

refere-se de modo mais fundamental a duas coisas: primeiro, à manifestação própria de Deus por meio da humanidade; segundo, ao cuidado de Deus pela humanidade. Dizer que os seres humanos são feitos à imagem de Deus é reconhecer as qualidades especiais da natureza humana que permitem que Deus se manifeste nos seres humanos.[1]

Logo, não importa o que as pessoas têm ou em que bairro moram; o valor de todos deve ser fundamentado no fato de que foram criados à imagem de Deus. Mas, quando valor e importância são medidos exclusivamente com base em coisas exteriores, cria-se uma distância entre aqueles que têm e aqueles que não têm. Começamos a nos separar com base em uma falsa percepção de valor. Eis a realidade: "Em 2016, os Estados Unidos eram considerados o mercado mais valioso de beleza e cuidados pessoais do mundo, gerando uma renda de cerca de 84 bilhões de dólares por ano".[2] Se focalizamos tanto a aparência exterior, quanto mais não confundimos a questão do valor.

Muitos de nós diríamos que não julgamos as pessoas com base em seus bens. Tentamos nos elevar acima desse equívoco, mas ele nos é ensinado desde a primeira infância.

Somos bombardeados continuamente por mensagens que nos farão sentir que estamos perdendo alguma coisa se não tivermos o que há de melhor e mais recente em tecnologia e dispositivos eletrônicos. Aprendemos a situar e identificar valor de forma incorreta.

Tive essa experiência durante aquela semana que passei morando na rua. Certa manhã, acordei tiritando no chão frio. Não sabia muito bem como havia sobrevivido durante a noite, nem se conseguiria repetir a dose, mas os pensamentos sobre a noite fria foram substituídos por uma nova e mais imediata preocupação: comida. Do lado de fora da barraca, encontrei meus novos amigos, e começamos a conversar sobre o que faríamos quanto ao café da manhã.

Uma mulher disse:

— Devemos todos ir ao McDonald's.

Eu sabia que era uma caminhada de quatro quilômetros, e perguntei se não havia algum lugar mais próximo. Não tinha certeza se meu corpo conseguiria percorrer essa distância depois de apenas duas horas de sono no chão duro e pedregoso.

A mulher continuou:

— Às vezes, se a gente fica parado na frente do McDonald's, alguém dá um dólar e a gente pede alguma coisa do cardápio.

Meu estômago roncou novamente, e resolvi que seria melhor tentar andar com meus amigos que ficar debaixo da ponte com frio e com fome.

Ao começarmos nossa caminhada, eu estava na parte da frente do grupo. Conversava com o pessoal perto de mim quando notei alguns homens e mulheres com roupas sociais na calçada à nossa frente. Uma das mulheres tocou no ombro do homem ao seu lado, gesticulou em nossa direção e indicou que deviam ir para a outra calçada.

Observei, incrédulo, enquanto atravessavam a rua. Eu não tinha passado nem uma semana inteira nas ruas, mas, com um olhar de relance, aquele grupo havia percebido meus amigos e eu como uma ameaça a ser evitada, ou melhor, como pessoas que não tinham valor suficiente para ser vistas.

Prosseguimos até o McDonald's. Sentamo-nos ao redor de uma das mesas dentro do restaurante, e uma família sentou-se perto de nós. Vi quando essa família olhou para meus amigos e eu, levantou-se e foi para uma mesa mais distante.

É difícil explicar a sensação de ser temido em razão de sua aparência física, da cor de sua pele (para mim, essa é uma complicação adicional, pois sou um homem negro nos Estados Unidos), ou mesmo de sua falta de recursos. Era como se meu valor tivesse repentinamente desaparecido; pelo fato de eu estar em situação de rua, havia algo fundamentalmente errado comigo. Perguntei-me o que havíamos feito e por que nossa presença na calçada e à mesa do restaurante causou tanto mal-estar. É terrível ser desprezado, ser considerado inferior, ser temido. Senti-me sem voz, indesejado. Talvez por isso Madre Teresa tenha dito: "A meu ver, não ser desejado, não ser amado, não ser cuidado, ser esquecido por todos, é uma fome muito maior, uma pobreza muito maior que a da pessoa desprovida de alimento".[3]

Nosso medo nos leva a reagir dessa forma. Atravessamos a rua. Ignoramos o homem na esquina. Não olhamos na direção da mulher que empurra um carrinho de supermercado na calçada. Pensamos que, talvez, se fingirmos que não os vimos, não seremos responsáveis ou, se os ignorarmos, eles irão embora. Esses momentos em que escolhemos ignorar os aflitos e os vulneráveis bem diante de nós são algumas das ocasiões que mais causam estrago na vida deles.

Discriminação de classe, racismo e preconceito se infiltraram em nossas crenças, até mesmo de forma inconsciente, e nos levaram a reagir com medo e criar uma distância maior entre nós e os pobres. Enquanto corremos atrás de mais dinheiro, casas maiores e estilos de vida mais confortáveis, a lente pela qual vemos os pobres muda de empatia para apatia. Começamos a fundamentar valor e dignidade em bens, e não no valor e na dignidade intrínsecos que Deus concedeu a cada indivíduo.

A forma como vemos as pessoas pode revelar em que ponto estamos de nossa jornada para tratar de nossa própria pobreza espiritual. Se nosso conceito dos pobres é caracterizado por apatia ou crítica, talvez signifique que ainda não fomos preenchidos com a riqueza do amor de Deus. Jesus disse que devemos amar a Deus com tudo o que temos e amar nosso próximo como a nós mesmos. Nosso amor para com o próximo deve ser um transbordamento do amor que recebemos de Deus.

O apóstolo João escreveu:

> Nós amamos porque ele nos amou primeiro. Se alguém afirma: "Amo a Deus", mas odeia seu irmão, é mentiroso, pois se não amamos nosso irmão, a quem vemos, como amaremos a Deus, a quem não vemos? Ele nos deu este mandamento: quem ama a Deus, ame também seus irmãos.
>
> 1João 4.19-21

Esse versículo é bastante objetivo; é difícil dizer que você ama o Deus invisível se não ama as pessoas bem diante de você.

Passar direto pelas pessoas ou ignorá-las é o mesmo que dizer: "Você não é importante. Não tem valor". Mostramos para elas com nossas ações que não são valiosas o suficiente para que paremos, vejamos e ouçamos sua dor. Como uma pessoa de fé, creio que esse amor deve nos compelir a conhecer aqueles que carecem de amor.

Pergunto-me se aqueles homens e mulheres de negócios teriam atravessado a rua se me conhecessem, se conhecessem minha história, ou se tivessem visto uma foto de minha esposa e de meus filhos. O que teria sido necessário para eu provar àquelas pessoas que não tinham motivo para me temer? E, mais importante, por que a primeira reação delas foi de medo? Como o medo se tornou o ponto de partida quando as pessoas olham para outros seres humanos que simplesmente têm menos bens?

Todos iguais?

Uma das primeiras linhas da Declaração de Independência dos Estados Unidos afirma: "Consideramos estas verdades evidentes por si mesmas, que todos os seres humanos são criados iguais, dotados pelo Criador de certos direitos inalienáveis, que entre estes estão a vida, a liberdade e a busca por felicidade".

Como pessoa de fé, creio que nosso valor se baseia no fato de que homens e mulheres são criados iguais, pois são feitos à imagem de Deus. Nenhum indivíduo nasce com mais valor que outro, qualquer que seja seu país de origem, a cor de sua pele, a classe social a que pertença ou a família que tenha. O valor de uma pessoa não depende dos móveis de sua casa, das roupas em seu armário, do alimento em sua dispensa ou da falta dessas coisas.[4]

O enfoque em "classe social *objetiva* implica a determinação direta da classe social de uma pessoa com base em variáveis socioeconômicas, principalmente renda, riqueza, nível de instrução e ocupação. Uma segunda abordagem à classe social, da qual nos ocupamos aqui, trata de como as pessoas colocam a si mesmas em categorias".[5] De acordo com sociólogos, de modo geral existem cinco classes sociais. É provável que você tenha ouvido falar delas: alta, média-alta, média, média-baixa e baixa. Essas classes costumam se basear em riqueza, nível de instrução, ocupação, renda e participação em uma subcultura ou comunidade social.

Na Índia, o sistema de castas era uma estrutura de classes definida pelo nascimento. A pessoa que nascia pobre, em uma casta inferior, permanecia pobre e em uma casta inferior. O mesmo se aplicava a alguém que nascia em uma casta superior. Não havia mobilidade social. O sistema indiano de castas foi abolido em 1949, mas ainda é possível sentir seus efeitos. A BBC explica sua complexidade:

> O sistema indiano de castas é uma das formas mais antigas e ainda existentes de estratificação social. [...] Acredita-se que esse sistema, que divide hindus em grupos hierárquicos rígidos com base em seu *karma* (trabalho) e *dharma* (termo em híndi para religião, mas que aqui significa dever) existe há mais de três mil anos. [...] Durante séculos, a casta ditava quase todos os aspectos da vida religiosa e social hindu, e cada grupo ocupava um lugar específico nessa hierarquia complexa.[6]

Os Estados Unidos não têm um sistema formal de castas que determine que emprego a pessoa terá ou quanto dinheiro receberá. Em vez disso, tem o sistema capitalista, "um sistema econômico em que os indivíduos tomam a maior parte das decisões e são donos da maior parte dos bens de um país".[7] Nesse sistema, há mercados livres e competição por negócios e riqueza. Isso significa que coisas como o sistema penitenciário e o sistema de saúde permitem que instituições privadas ganhem dinheiro com o que muitos consideram direitos fundamentais.[8] Nesse sistema, pode ser difícil membros da classe média-baixa e baixa terem oportunidades iguais. Isso acontece quando grupos que têm uma quantidade tremenda de acesso social e material negam o mesmo acesso a outros que estejam necessitados.

Portanto, embora exteriormente não classifiquemos as pessoas de acordo com uma casta que herdaram por nascimento, muitos ainda não conseguem ter acesso a coisas como cuidados médicos, oportunidades de emprego, alimentos saudáveis, capital social e ensino de qualidade em razão do ambiente em que nasceram.

Herdamos a condição socioeconômica de nossos pais e, muito provavelmente, essa é a mesma classe transmitida ao longo de várias gerações. Há uma ideia em nossa cultura de que "qualquer um, não obstante seu histórico socioeconômico ou sua condição social, pode chegar ao 'topo' se trabalhar com afinco".[9] Essa crença mantém a coesão do sistema sobre o qual os Estados Unidos foram formados. Gostaríamos de acreditar que é verdade. Infelizmente, não é bem assim que funciona.

A falsa narrativa do sonho americano se fundamentou nas ideias de Horatio Alger.

Horatio Alger, que escrevia sobre a sociedade americana, era mais conhecido por seus muitos textos voltados para um público mais jovem a respeito da ascensão de meninos pobres de suas origens humildes para a segurança e o conforto da classe média por meio de trabalho duro, determinação, coragem e honestidade. Seus escritos se caracterizam pela narrativa da trajetória "dos trapos à riqueza" que exerceu efeito formativo sobre os Estados Unidos durante a Era Dourada, no final do século 19 e início do 20.[10]

Suas narrativas se tornaram amplamente difundidas na cultura americana, e os americanos começaram a adotar a ideia falsa de que indivíduos pobres poderiam, por meio do trabalho, sair da opressão e da pobreza. Todos sabemos, contudo, que isso não é verdade.

Em outros tempos, dividíamos pessoas por gênero, raça e idade, e considerávamos que alguns tinham mais valor que outros em razão dessas características. Hoje, depois de percorrer um longo caminho, não podemos negar que fizemos progresso como nação. No entanto, continuamos a discriminar com base nos números em uma conta bancária, em propriedades no nome da pessoa ou na marca da jaqueta que ela usa.

A Declaração de Independência afirma que "todos os seres humanos são criados iguais"; ainda assim, a discriminação de classes define de que maneira cada pessoa é tratada. A maioria das escolas públicas é custeada por impostos sobre bens imóveis locais. Isso significa que, quanto mais rica a comunidade, mais recursos a escola recebe para educar seus alunos. A educação é uma das principais forças que ajudam as pessoas a obter uma renda mais elevada. As crianças pagam o preço por morarem em um município mais pobre.

Indivíduos da classe média-baixa que trabalham em tempo integral e recebem um salário mínimo não têm renda suficiente para pagar suas contas, alimentar a família e guardar dinheiro para se mudar ou investir no futuro. Atualmente, na Georgia, o salário mínimo é de 7,25 dólares por hora de trabalho.[11] A Georgia ainda usa a escala federal de salário mínimo e, para quem recebe um salário desses, é difícil pagar todas as contas no fim do mês. Sem dúvida, alguns diriam que já é alguma coisa, e pelo menos é um salário. Imagine, porém, como é difícil sobreviver com um salário tão baixo quando a inflação faz os preços subirem todos os anos. Como os trabalhadores pobres conseguirão um emprego com um salário melhor se trabalham em um cargo correspondente ao nível de instrução que receberam?

Entendo a pobreza sistêmica, pois vi minha mãe se esforçar para nos alimentar enquanto se matava de trabalhar em busca de uma promoção. Minha mãe teve a felicidade de superar as dificuldades e concluir um doutorado em psicologia.

Entendo a discriminação, pois houve ocasiões em que tive medo de ser morto em virtude da cor de minha pele. Sei como é ouvir outros lhe dizerem repetidamente que você é indigno por causa daquilo que tem ou deixa de ter. Ouvi histórias de milhares de pessoas pobres e em situação de rua, e me identifiquei com todas elas. Lutei contra as adversidades e tive vontade de desistir.

Imagino que você tenha sentido o mesmo. O sofrimento que a humanidade vivencia cria vínculos entre todos nós. Sabemos como é sentir-se envergonhado, sem valor e esquecido. Para muitos de nós, a pobreza é associada a números na conta bancária e, para outros, é ligada a mensagens que ouvimos a vida toda. Não importa qual seja o caso, fomos criados iguais porque Deus nos criou. Diante disso, como sair do sistema moderno de castas e ver uns aos outros como irmãos em nossa jornada ao longo da vida?

Um motivo importante pelo qual muitas vezes somos tentados a associar o valor de uma pessoa a seus bens ou ocupação é que também encontramos nosso valor nessas coisas. Nosso emprego, o bairro em que moramos, o carro que dirigimos, tudo isso contribui para o valor que imaginamos ter.

Uma vez que reconhecemos que nosso verdadeiro valor é independente de nossos bens, podemos começar a ver a dignidade e o valor de outros ao nosso redor (e de nós mesmos).

Infelizmente, com frequência Jesus é retratado como um homem branco de classe média e benquisto. No livro *What Color is Your God? Multicultural Education in the Church* [De que cor é seu Deus? Ensino multicultural na igreja], James e Lillian Breckenridge enfatizam a importância de ter um evangelho que não seja monolítico, mas que celebre todas as etnias. Também mostram os perigos de não adotarmos essa abordagem. Na realidade, Jesus interagia com pobres e marginalizados e era odiado pela maioria dos líderes religiosos. Trouxe boas-novas que viraram do avesso os conceitos religiosos tradicionais. Por que imaginamos que seria muito diferente hoje em dia? Cremos que Jesus faria parte do mesmo partido político ou da mesma igreja com a qual nos identificamos? Ou será que ele nos diria que nossa prioridade é cuidar dos pobres e dos esquecidos?

Howard Thurman, em seu já citado livro *Jesus and the Disinherited*, descreve o clima atual:

> Aqueles que vivem mais obviamente sem opções — por exemplo, os que se encontram em situação de rua, os pobres que trabalham e os que estão desempregados, os viciados em drogas e os que sofrem por causa delas, os jovens alienados, desencaminhados e, em essência, abandonados — raramente estão ao alcance dos ouvidos e dos olhos da comunidade daqueles que se dizem seguidores de Jesus. Os guardiões da fé do Mestre muitas vezes consideram bastante difícil e bastante perigoso segui-lo até os lugares desagradáveis habitados pelos desfavorecidos de nosso país. E esses aflitos que não têm para onde correr não encontram espaço para sua presença nos lugares em que os seguidores oficiais de Jesus prestam culto confortavelmente.[12]

Viver em função do medo

O medo pode ser algo bom. Ouvimos o medo que nos diz para sair da rua quando há um carro vindo em nossa direção e quando temos a sensação de que estamos próximos demais da beira de um precipício. Esses medos são justificados. Alguns medos, contudo, nos impedem de ter acesso a coisas boas, mesmo que seu propósito seja nos manter em segurança. Você já teve medo de alguém de quem começou a se aproximar? Temos medo de nos aproximar demais de pessoas que podem nos magoar ou nos abandonar e produzimos mecanismos de defesa de toda espécie para nos proteger. Esse medo pode ser menos justificado se nos afastamos apenas em razão de mágoas que sofremos no passado.

Há uma enorme diferença entre conviver com os medos que nos mantêm seguros e deixar que os medos controlem nossas ações, especialmente no que tange ao tratamento que dispensamos aos outros, como atravessar a rua quando vemos alguém vestido de forma diferente ou construir um muro para manter afastados aqueles que talvez pareçam ou ajam de maneira diferente de nós. Por vezes, não fazer nada também é uma forma de deixar que nossos medos nos controlem.

Quando o medo que nos paralisa tem implicações de vida ou morte para outra pessoa, o que isso significa? É provável que você esteja pensando: "Não, não. Meu medo ou minha inércia não tem impacto dessa magnitude sobre a vida de outra pessoa". Infelizmente, tem sim.

O medo, em seu nível mais básico, nos impede de agir. À medida que o medo evolui, porém, muitas vezes pode se transformar em apatia. Podemos nos tornar frios e indiferentes para com aquilo que não conhecemos ou entendemos. Essa indiferença para com os pobres e os moradores de rua tem implicações perigosas. A apatia pode ser consequência de ressentimento, privilégio, falta de conhecimento e falta de preocupação por nossos irmãos.

Se imaginamos que o medo e a incriminação dos pobres e dos sem-teto não devem ser levados a sério, ou que as implicações não são importantes nem urgentes, eis alguns fatos dos quais precisamos estar cientes.

Em 2014, crimes violentos fatais contra pessoas em situação de rua aumentaram 61% em relação ao ano anterior. Nesse mesmo ano, as agressões não letais também aumentaram 17%.[13] Essas agressões estão se tornando mais comuns, e muitos especialistas as atribuem à incriminação dos sem-teto.

Em 2011, dois homens foram indiciados por atacar um morador de rua, filmar a agressão e, depois, postar o vídeo *on-line*.[14]

Em 2012, um homem em Los Angeles foi indiciado por tentativa de homicídio depois que ateou fogo a uma moradora de rua enquanto ela dormia no banco de um ponto de ônibus onde ela se abrigava havia anos.[15] Não foi apresentado nenhum motivo.

Em 2014, o jornal *Huffington Post* entrevistou Michael Stoops, na época diretor da organização National Coalition for the Homeless [Coalizão Nacional para os Sem-Teto] e noticiou: "A organização encontrou uma relação direta entre o número de crimes de ódio contra os sem-teto e a criminalização da situação de rua nesses locais específicos".[16]

Essas estatísticas e pesquisas são mais que simples números para mim. Essas pessoas vulneráveis são minhas amigas, gente que mudou minha vida.

O medo é perigoso. Cria um ambiente em que é aceitável tratar com raiva e ódio aqueles que vivem em pobreza e situação de rua. O primeiro passo para acabar com o problema é perceber que esse medo é infundado e perigoso.

Por vezes, o medo nasce da ignorância, do distanciamento e do ódio. O ódio, em sua forma básica, é uma forte aversão a pessoas ou coisas, algo contrário a Deus. Na Bíblia, Deus odeia apenas aquilo que o desonra e desonra pessoas. Deus odeia hipocrisia e mentiras, injustiça, violência, idolatria e coisas que visam usurpar a retidão e a justiça de Deus.

Se você sente medo dos pobres e dos sem-teto, significa que tem a felicidade de nunca ter vivenciado pobreza e situação de rua. Ter esse medo é sinal de uma vida privilegiada. E, se não tomarmos cuidado, nossa forma de tratar as pessoas em razão de nossa realidade privilegiada pode acabar comunicando ódio por indivíduos inofensivos e impotentes.

Certo dia, cerca de um ano atrás, uma mulher estacionou em frente ao centro comunitário Love Beyond Walls e saiu do carro com os dois filhos.[17] Sua garotinha vestia apenas uma camiseta enorme e não tinha sapatos nem roupas de baixo — apenas aquela camiseta de adulto, longa o suficiente para lhe servir de vestido. O menino, um pouco mais alto, vestia uma camiseta igualmente ampla, mas tinha um par de *shorts* e tênis grandes demais. Ambos olhavam fixamente para o chão do estacionamento e tinham os cabelos despenteados e manchas de sujeira no rosto.

Voltei-me para a mulher e fiz a pergunta que sempre faço quando recepciono alguém pela primeira vez:

— Como você ficou sabendo do centro?

— Estava no posto de gasolina lá atrás — disse ela — e a mulher no caixa me falou de vocês. Vim de carro do Tennessee faz umas duas semanas. Fui embora de lá para fugir de um relacionamento abusivo. Meus filhos e eu não temos para onde ir.

Estamos morando no carro. As crianças ainda não puderam ir para a escola, pois não têm roupas de baixo nem uniformes. Trouxemos a mulher e os filhos para dentro e lhes fornecemos os uniformes e outros itens. As palavras da mulher ressoavam em minha mente. Jamais me esquecerei delas:

— Foi minha escolha. Minha escolha — ela dizia repetidamente. — Pelo menos estou mais livre. Melhor que ser espancada.

São essas as pessoas que tememos? Claro que não. Mas só porque conhecemos sua história. Cada pessoa em situação de pobreza tem uma história, e muitas são parecidas com essa.

Gosto muito do que o reverendo William Barber, líder do movimento Poor People's Campaign [Campanha de Pessoas Pobres], disse quando falava sobre honrar a história dos pobres: "A pobreza é uma das grandes questões morais de nosso tempo". Em outras palavras, precisamos impedir que histórias como essa se repitam.

O que acontece quando permanecemos calados ou perpetuamos a ideia de que pessoas que vivem em pobreza devem ser temidas? Eu seria obrigado a olhar nos olhos dessa mãe e lhe dizer que não posso ajudá-la devido a cortes em verbas do governo, pois o medo cria uma sociedade que se preocupa cada vez menos com os famintos e os vulneráveis. Seria obrigado a lhe dizer que sua escolha de tentar fugir da violência doméstica foi inútil, pois os abrigos estão fechando as portas e não há lugar para acolhê-la em seu esforço corajoso para sair de uma situação de abuso. Ela está tão desesperada por mudanças que mora no carro há semanas.

Precisamos parar de propagar a ideia de que devemos ter medo dessas pessoas. Precisamos parar de falar delas como se fossem monstros e parasitas da sociedade. Tais percepções se formam antes de conhecermos o nome e a história delas. Em vez disso, temos de começar a tratá-las com dignidade. Elas querem ser vistas e ouvidas e querem receber oportunidades. Acaso não é uma preocupação de todos nós colocar comida na mesa e manter nossa família segura e feliz?

Quando continuamos a ver outros pelas lentes do medo, algo neles começa a mudar. Habituam-se ao isolamento. Começam a pensar: "Talvez eu deva ser temido". Ou: "E se sou mesmo um monstro?". Uma das coisas mais prejudiciais que pode acontecer é alguém que está vivenciando pobreza assumi-la como sua identidade, sem esperança de sair dessa situação. Eis o que devemos temer: que empurremos as pessoas ao desespero com nossas percepções equivocadas.

Tratamos pessoas que estão passando por situação de rua e pobreza como se essa fosse sua identidade. Elas não são aquilo que estão vivenciando. São filhos, mães, pais, irmãs e irmãos. O fato de seus problemas serem exteriormente visíveis não nos dá o direito de tratá-las como se sua dificuldade fosse sua identidade. Não é. Precisamos começar a entender que as pessoas estão *passando* por problemas, e não que *são* problemas.

Seja alguém que enxerga além daquilo que a cultura e a sociedade o treinaram para enxergar naqueles que enfrentam essas circunstâncias. Tenha mais fé neles para que possam ter mais fé em si mesmos.

E quanto à criminalidade?

É verdade que as notícias e as estatísticas crescentes de criminalidade mostram quanto as ruas de nossa cidade são perigosas. Os números revelam que as regiões em que há carência de recursos têm índices de criminalidade mais elevados. Para alguns, esse simples fato gera medo. É justamente por esse motivo que precisamos ir às ruas servir e ajudar essas pessoas, não apenas com necessidades básicas, mas oferecendo a nós mesmos em relacionamentos para preencher as lacunas sociais na vida delas. O crime é apenas um efeito colateral do verdadeiro problema. O problema é a falta de recursos e, em muitos casos, de capital social.

Portanto, quando perguntamos sobre os índices de criminalidade mais elevados, também precisamos considerar se essas pessoas têm acesso a alimento e a relacionamentos significativos. É verdade que há mais crimes em regiões mais pobres, mas precisamos nos perguntar por quê. As pessoas dessa comunidade têm oportunidade de se desenvolver? Na maioria das vezes, a resposta é não, o que significa que nossa pergunta inicial a respeito do motivo precisa ser respondida.

Se você e seus filhos estivessem passando fome, se você tivesse sido demitido e não tivesse como alimentá-los, o que faria? E se não tivesse a quem pedir ajuda? Faria o que fosse necessário para alimentar sua família e mantê-la em segurança? Eu faria.

Diz-se que, certa vez, Gandhi comentou: "Para quem está morrendo de fome, o alimento é Deus". Quando sua mente está voltada para a sobrevivência, seu único pensamento é como manter sua família e a si mesmo vivos por mais um dia.

Em 2006, o Texas enfrentava um sério problema de superlotação nos presídios. Essa questão se devia em grande medida à guerra contra as drogas e à prisão de jovens oriundos de minorias por crimes relacionados a drogas. Em 2010, a população nos presídios havia crescido 364% em relação a 1990. Todavia, em vez de o Texas construir prisões maiores, seu governo resolveu investir 241 milhões de dólares em programas voltados para as carências das comunidades, entre eles, centros de tratamento e programas de reabilitação e redução de reincidência de crimes. Nos anos subsequentes a esse investimento do estado, os resultados positivos foram consideráveis.[18] O jornalista Ken Cuccinelli, da revista *National Review*, escreveu:

> Desde que o Texas realizou essas reformas, três presídios foram fechados e houve uma redução de 25% no índice de reincidência de crimes. Além disso, os contribuintes do Texas economizaram quase três bilhões de dólares em custos com os presídios e tiveram seu mais baixo índice de criminalidade desde 1968.[19]

Os resultados no Texas prenunciam uma mudança maior que temos condições de realizar. O crime é, muitas vezes, consequência de falta de oportunidade. É um pedido de socorro. Em vez de evitar comunidades com índices de criminalidade mais elevados, deveríamos garantir que tais pessoas tenham recursos e oportunidades para ser bem-sucedidas.

Abaixo da superfície

A melhor maneira de superar e combater esse medo é conhecer aqueles a quem tememos. A maioria das pessoas apreensivas que conheço nunca fez esse trabalho. Era o caso de meu amigo Tyler, que hoje trabalha como voluntário em nossa organização. Tyler e sua esposa se mudaram de volta para Atlanta pouco tempo atrás, e sentiram a necessidade de ajudar pessoas em situação de pobreza.

"Minha esposa tem alguns problemas de saúde", Tyler comentou comigo. "Mas não queremos perder a oportunidade de demonstrar um pouco de amor a alguém só porque temos apreensões em relação à saúde dela. Claro que precisamos tomar alguns cuidados."

Quando perguntei a Tyler se em algum momento ele havia sentido medo de alguém que viu nas ruas, ele respondeu: "Não, cara. Tipo, a tendência de alguns é dizer: 'Essas pessoas estão nessa situação por causa de alguma coisa que fizeram'. Mas quando você começa a conhecê-las e ouvir suas histórias, descobre que pode ter sido por algum motivo simples, como ter perdido o emprego, ou ter sido abandonado pela esposa, não ter família e não ter para onde ir. Por isso, vão parar nas ruas".

"É doido", Tyler prosseguiu. "Pode acontecer de uma hora para outra. Você olha para si mesmo, para sua vida, e percebe como poderia muito bem ser você na mesma situação. Isso ajuda a gente a se identificar com os outros. Talvez seja disso que as pessoas tenham medo", acrescentou. "Você vê quão facilmente poderia ser você ali. Há um medo de que eles tenham se colocado nessa situação, e talvez levem você ou eu a acabarem em circunstâncias como as deles. Mas não é verdade."

Todos os voluntários com os quais trabalho e que atuam há algum tempo lhe diriam que eles não têm medo. Deixaram de temer porque começaram a conhecer as pessoas às quais eles servem e a formar vínculos com elas. Não é possível odiar ou temer alguém de perto.

Quero deixar algo bem claro. Algumas pessoas que estão em pobreza escolheram esse estilo de vida, mas a maioria não. Você não saberá enquanto não ouvir suas histórias. E, quanto àqueles que escolheram essa vida, desafio você a perguntar que opções viáveis muitos deles tiveram. Na maioria dos casos, quem vive em pobreza nunca teve oportunidade real de ver como é viver de forma diferente. Não obstante suas escolhas, porém, não são monstros, mas pessoas com uma história, que não merecem ser temidas.

Imagine comigo

Pense em uma ocasião em que você foi a um evento para fazer contatos. Está em um salão cheio de gente que não conhece. Em vez de sentar-se sozinho em um canto, você resolve puxar assunto com algumas pessoas. O primeiro sujeito do qual você se aproxima está bem vestido e tem um iPhone na mão. Você se apresenta e, a princípio, há um pouco de constrangimento, como geralmente acontece quando interagimos com alguém pela primeira vez.

Depois de alguns minutos de conversa, porém, vocês dois estão rindo, trocando histórias e falando do que gostam de fazer no tempo livre. Resolvem trocar números de telefone e tomar um café juntos. Você sai desse encontro se sentindo satisfeito e empolgado com o novo amigo que fez.

Alguns anos passam e você e seu novo amigo perdem o contato. Uma tarde, você está caminhando no centro da cidade e vê um morador de rua empurrando um carrinho na calçada. Sem graça e irritado, você resolve atravessar a rua para evitar um confronto ou uma conversa. Quando está no meio da rua, ouve a pessoa gritar:

— Ei! Ei... espere! Sou eu!

Perplexo, você olha para trás e pensa: "Não faço ideia de quem seja esse sujeito. Não o reconheço". Você está prestes a continuar atravessando a rua quando o homem grita seu nome e diz:

— Ei! Espere! Lembra-se de mim?

Ainda mais perplexo, você volta à calçada para conversar com o homem que sabe seu nome. Ao se aproximar, percebe a roupa esburacada que ele veste, a barba longa e desgrenhada e o carrinho que parece cheio de lixo e trapos. Logo você também sente o cheiro dele. Tudo indica que ele não toma banho há semanas. Ainda assim, você chega mais perto e começa a reconhecer algo nele. Os olhos, o rosto, a voz lhe trazem à memória aquele evento do qual você participou vários anos atrás.

— Sou eu. John. — diz o morador de rua. — Nós nos conhecemos naquele evento. Lembra-se de mim?

— Claro — você responde. — John! Agora o reconheci. Faz tanto tempo. Como você está? O que... aconteceu?

— Pois é — John olha para baixo enquanto prossegue com seu relato. — Perdemos nosso filho dois anos atrás, só alguns meses depois daquele evento. Ele morreu em um acidente de carro. Foi muito difícil. Barra pesada. E as coisas desandaram entre minha esposa e eu. Ela foi embora. Depois disso, eu não estava nem aí com nada. Comecei a beber. Fui mandado embora. Mas nem liguei, pois já havia perdido tudo o que importava. Entende? E, por isso, estou aqui.

Cabe a você escrever o fim dessa história. Ainda está com medo do homem com o carrinho? Ainda atravessa a rua ou escolhe outra mesa? Passa de carro silenciosamente, com medo de um desconhecido? É você que decide.

Cada pessoa que você vê na rua, em um conjunto habitacional, em um albergue, ou em situação de pobreza de qualquer tipo tem uma história que a levou a esse ponto. O medo não desaparece instantaneamente. Creio, porém, que a resposta começa com nosso modo de ver aqueles que estão em pobreza e situação de rua e se aprofunda quando ajustamos nossa forma de interagir com eles. Precisamos fazer a escolha diária e intencional de viver de maneira contrária a nosso medo.

Peça a um morador de rua que lhe conte sua história.

Converse com um colega de trabalho que vem de um contexto diferente.

Tenha coragem de ver alguém que está passando por uma dificuldade.

Faça uma coisa que geralmente o assusta.

Use essa oportunidade para se desarmar propositadamente de uma forma de viver baseada no medo. Espero que você se junte a mim no esforço para não perpetuar o medo responsável por gerar uma sociedade que se preocupa cada vez menos com essas pessoas. Espero que você não tenha medo da próxima pessoa vulnerável e marginalizada que vir, mas que procure conhecê-la e entendê-la. O primeiro passo é verdadeiramente enxergar as pessoas.

3
Criando espaço nas margens de suas páginas

Semana passada, fui tomar café com meu amigo Dave. Fazia tempo que não o via. Ele explicou porque andava tão ausente. "Depois que Kara e eu nos casamos alguns meses atrás, comecei o MBA sobre o qual lhe falei. Logo depois, recebi uma oferta de emprego, e nos mudamos de casa mês passado! Parece que não sobra tempo para nada. É uma correria. Não dá nem para fazer as coisas das quais eu gostava, que davam alegria. Gostava de servir e de trabalhar com os moradores de rua. Agora, até ir à igreja está ficando difícil."

Dave comentou que, embora estivesse fisicamente presente em um lugar, na maioria das vezes estava pensando em algum trabalho a escrever, em algum *e-mail* a enviar, ou se perguntando o que estava esquecendo. Isso acontece com todos nós. Nossa vida se enche de atividades, e tentamos dar conta de todos os compromissos que assumimos."

Algo interessante em minha conversa com Dave foi aquilo que ele *não* disse. Quando descreveu seus compromissos exaustivos, não falou das pessoas e dos relacionamentos em sua vida. Havia tempo para eles?

Quando nos esforçamos para aproveitar ao máximo cada segundo de nosso tempo escasso, com frequência são as pessoas que pagam o preço de nossa ausência. Lotamos nossa vida de oportunidades e compromissos até que começam a tomar o lugar das pessoas e afastá-las de nós. Isso afeta os mais próximos (familiares, amigos, comunidade), mas também afeta os que são excluídos e marginalizados pela sociedade. Richard Swenson, em seu conhecido livro *Margin* [Margem], diz:

> Precisamos de espaço para respirar. Precisamos de liberdade para pensar e permissão para sarar. Nossos relacionamentos estão morrendo de fome decorrente da pressa. Ninguém tem tempo de ouvir, e muito menos de amar. Nossos filhos jazem no chão feridos, atropelados por nossas velozes boas intenções. Acaso Deus agora é a favor da exaustão? Deixou de nos conduzir para junto de águas tranquilas? Quem roubou aqueles espaços amplos do passado, e como podemos reavê-los? Não há terras alqueivadas em que nossas emoções possam se deitar e repousar.[1]

Vivemos em um mundo interligado. Quanto mais preenchemos coletivamente nosso tempo e as margens das páginas de nossa vida, mais os marginalizados sofrem, e quanto mais empurramos as pessoas para as beiradas, mais fácil é se tornarem e permanecerem marginalizadas.

No Novo Testamento, Jesus contou esta história de um homem marginalizado:

"Certo homem descia de Jerusalém a Jericó, quando foi atacado por bandidos. Eles lhe tiraram as roupas, o espancaram e o deixaram quase morto à beira da estrada.

"Por acaso, descia por ali um sacerdote. Quando viu o homem caído, atravessou para o outro lado da estrada. Um levita fazia o mesmo caminho e viu o homem caído, mas também atravessou e passou longe.

"Então veio um samaritano e, ao ver o homem, teve compaixão dele. Foi até ele, tratou de seus ferimentos com óleo e vinho e os enfaixou. Depois, colocou o homem em seu jumento e o levou a uma hospedaria, onde cuidou dele. No dia seguinte, deu duas moedas de prata ao dono da hospedaria e disse: 'Cuide deste homem. Se você precisar gastar a mais com ele, eu lhe pagarei a diferença quando voltar'.

"Qual desses três você diria que foi o próximo do homem atacado pelos bandidos?", perguntou Jesus.

O especialista da lei respondeu: "Aquele que teve misericórdia dele".

Então Jesus disse: "Vá e faça o mesmo".

Lucas 10.30-37

A meu ver, essa narrativa é parecida com nosso presente momento na história. No Novo Testamento, o levita e o sacerdote passaram longe por motivos religiosos relacionados à lei mosaica que os proíbia de parar. No entanto, não há grande diferença entre o que Jesus descreveu e o que acontece quando desviamos o olhar no semáforo ou ignoramos a pessoa que pede dinheiro no metrô porque estamos ocupados demais ou porque não queremos enxergar os aflitos.

Nossa agitação pode nos cegar para os outros ou, no mínimo, fazer que nos sintamos menos culpados por desviar o olhar ou por passar longe de alguém que precisa de ajuda. Quando criamos espaços em branco, proporcionamos a nós mesmos a oportunidade de reparar nas pessoas e de verdadeiramente enxergá-las. O modo como usamos essa margem das páginas de nossa vida afeta as pessoas que estão, elas próprias, nas margens.

Margens e agitação

Em nossa sociedade, parecemos estar nos movendo cada vez mais depressa. Cada novo *smartphone*, *notebook* ou serviço promete ser mais rápido que os concorrentes. Estar *ocupado* não é apenas algo ocasional, mas o estado habitual de nossa vida cotidiana. Celebramos a agitação e desprezamos a alternativa: o ócio. Mas essa agitação cria um ciclo que nos aprisiona. Richard Swenson explica melhor essa ideia no livro *Margin*:

> Temos mais "coisas por pessoa" que qualquer outra nação na história. Guarda-roupas abarrotados, depósitos lotados, carros que não cabem em garagens cheias de coisas. Tendo nos aprisionado em dívidas, os bens tomam conta de nossa casa e ocupam nosso tempo; mais parece uma invasão. Pertenço a todos os meus pertences. Por que desejaria algo mais?[2]

A resposta comum para a pergunta "Tudo bem?" é: "Tudo, sim. Correndo, como sempre". Poucas pessoas dizem: "Tudo tranquilo. Passei alguns dias relaxando. Não tenho feito muita coisa ultimamente". Mas por quê?

Nos últimos anos, estudos mostram que a agitação é um novo símbolo de *status*. Experiências científicas mostram que as pessoas associam um frenesi de atividades com prestígio. É interessante que essa percepção vem da ideia de alcançar o sonho americano. Em geral, acredita-se que vivemos em uma sociedade na qual trabalho duro é sinônimo de sucesso para todos.[3]

A agitação também contribui para a pobreza interior, pois tentamos acrescentar coisas à nossa vida de forma pouco saudável, a fim de nos sentirmos mais aceitos e amados, sentirmos que temos um *lar*, onde a maioria de nós anseia estar. Essa pobreza espiritual pode nos levar a buscar significado por meio de atividades, e não no fato de termos sido criados por um Deus que cuida de nós.

É verdade? Esse frenesi de atividades é sinônimo de sucesso? O que é sucesso? O sucesso do qual essas pessoas estão falando é, em sua maior parte, monetário. As coisas que nos mantém ocupados ou que tomam a maior parte de nosso tempo não nos conferem, necessariamente, um propósito, nem deixam um legado.

É triste ver alguém escolher o frenesi em vez das pessoas. Isso reverbera profundamente nas histórias que contamos para nós mesmos sobre quem somos e qual é nosso valor. Lembra-se de uma ocasião em que alguém disse que não tinha tempo para você? Em que alguém escolheu correr atrás de coisas materiais em lugar de buscar um relacionamento com outra pessoa? Fazemos isso o tempo todo. Esquecemo-nos das consequências de dizer para as pessoas que elas valem menos que um troféu ou um número no banco.

Que mensagens transmitimos para as pessoas quando dizemos que não são importantes o suficiente para ocuparem nosso tempo, ou para que as enxerguemos? Como usamos esse tempo que não dedicamos a elas? O resultado dessa agitação toda é um grande número de pessoas com compromissos demais, estafadas, lutando por aclamação e bens transitórios. Antes que percebamos, acabamos por nos comprometer com coisas que nunca nos interessaram. É o que acontece com o pai que olha para trás depois de lutar por anos a fio para prover de tudo para sua família quando, talvez, seus filhos só quisessem mais tempo com ele.

Acumulamos carros e casas, vemos os números em nossa conta bancária mudarem (de preferência para mais) e, para que isso tudo aconteça, pagamos com nosso tempo. Curiosamente, começamos a crer que quanto mais ocupados estamos, mais impacto exercemos, e que o movimento constante deve significar que estamos avançando na vida. Tornamo-nos especialistas em enganar a nós mesmos. Começamos a viver em uma sociedade em que "não tenho tempo para você" passa a ser a norma; somos ensinados e ensinamos outros que pessoas não têm valor.

Quando Jesus veio à terra, porém, pregou claramente uma mensagem diferente. Em várias ocasiões, comunicou ideias contrárias ao modo como a sociedade e a cultura nos ensinam a operar.

Aliás, ele disse que verdadeiros tesouros e verdadeiro valor são provenientes de investir mais nas coisas de Deus que nos bens que acumulamos. As coisas que ajuntamos na terra nos deixarão e passarão, mas as coisas intangíveis que dedicamos a Deus permanecerão.

Não ajuntem tesouros aqui na terra, onde as traças e a ferrugem os destroem, e onde ladrões arrombam casas e os furtam. Ajuntem seus tesouros no céu, onde traças e ferrugem não destroem, e onde ladrões não arrombam nem furtam. Onde seu tesouro estiver, ali também estará seu coração.

Mateus 6.19-20

Jesus sabia que tratar da pobreza espiritual proporciona o tipo mais importante de liberdade. Suas palavras ainda se aplicam a nossos dias. Não encontramos alegria em nos esforçar para obter isto ou aquilo, mas em manter um relacionamento com o Deus Todo-Poderoso.

Preciso tomar cuidado com a tentação de deixar que o trabalho e a agitação tomem conta de minha vida. Viajo com frequência para dar palestras. Duas verdades gerais sobre a vida se aplicam ao trabalho e ao tempo que tenho para exercer algum impacto. A primeira é que qualquer um pode exercer uma influência positiva. E a segunda é que não vou viver para sempre. A ideia de que não vou viver para sempre me assusta e, ao mesmo tempo, me consola. Lembra-me de que as únicas coisas que posso levar comigo são os relacionamentos e o impacto que exerci e deixei neste mundo.

Foi um processo demorado chegar a essa conclusão, e foi mais demorado ainda escolher em que coisas vale a pena investir tempo. Ao longo desse processo, descobri que encontrar a margem nas páginas de minha vida para as coisas que considero importantes e estabelecer prioridades andam juntos.

Precisamos definir nossos valores centrais. Essa asserção pode parecer estranha, especialmente para o cristão. Nossos valores centrais já não foram definidos para nós? Não devem ser aquelas regras e ideais descritos na Bíblia? Poucos cristãos que conheço, porém, são capazes de aplicar as palavras da Bíblia em ritmos tangíveis e praticáveis que permeiem sua vida. É necessário que você faça as seguintes perguntas para si mesmo e responda por sua conta.

- Em prol de que você trabalha?
- O que o enfurece?
- O que o faz perder o sono?
- O que o preocupa?
- O que sua família e seu casamento representam?

Uma vez que tiver respondido, poderá construir uma base para aquilo em prol de que você trabalha e a que você dedica seu tempo. Essa reflexão é como as faixas demarcadas na estrada. Se não houvesse linhas pintadas no asfalto, os motoristas não permaneceriam cada um em sua faixa e aconteceriam mais acidentes. O mesmo se aplica a nossa vida. Se não temos marcações para nos mostrar onde queremos ir, desviamo-nos do caminho com muita facilidade.

Quando perguntaram a Jesus qual era o maior de todos os mandamentos, ele respondeu:

> "Ame o Senhor, seu Deus, de todo o seu coração, de toda a sua alma e de toda a sua mente". Este é o primeiro e o maior mandamento. O segundo é igualmente importante: "Ame o seu próximo como a si mesmo". Toda a lei e todas as exigências dos profetas se baseiam nesses dois mandamentos.
>
> Mateus 22.37-40

O que essa instrução significa para o modo como você usa seu tempo e para o valor que atribui às coisas?

Nossos valores centrais norteiam nossas prioridades. E é a essas prioridades que dedicamos tempo, dinheiro e recursos. Nunca me esqueço de quando ensinei para minha filha e meu filho os valores centrais de nossa família. Disse-lhes que amamos a Deus, amamos a família, amamos as pessoas e nos dedicamos ao máximo às tarefas que temos diante de nós.

Sei que parece trivial, mas é impressionante ver meus filhos valorizarem o tempo em família e em serviço com minha esposa e eu. Foi ainda mais emocionante vê-los dar o passo do batismo (e eu tive o privilégio de batizá-los!). Procuramos ensinar a nossos filhos que não existe separação entre como vivemos para Deus e o que fazemos para Deus.

Aliás, viver com Deus e para ele deve ficar evidente em nosso cotidiano, pois se torna parte de quem somos. Portanto, servir a outros e dedicar tempo a ajudá-los não é castigo para meus filhos. Flui naturalmente de nosso conjunto de valores centrais como cristãos.

A margem de minhas páginas

Um de meus maiores sonhos era ter as letras "Dr." antes de meu nome. Por quê? Abandonei o ensino médio por um tempo, mas depois obtive quatro diplomas. Superei aquilo que muitas pessoas imaginaram que me destruiria. Pensei que seria o máximo ir da categoria de aluno com menor probabilidade de sucesso para a categoria de Dr. Terence. Atribuo valor elevado ao ensino e sou alguém que tinha tudo para dar errado; diante disso, obter um doutorado era e é um objetivo importante para mim.

Ainda me lembro do dia em que parei de ir à escola. Estava com 18 anos e prestes a me formar. As vozes dos professores que diziam que eu não era capaz, que não seria ninguém, ainda ressoam em minha mente.

Fazer um doutorado foi uma espécie de mudança simbólica dentro de mim. Desejava provar para mim mesmo e para os outros que era capaz. Desejava obter o conhecimento de que precisava para ajudar as pessoas. O diploma parecia o pedaço de papel mais importante que eu poderia ter em mãos.

Comecei o doutorado em 2011. Nessa época, estava trabalhando com pessoas em situação de pobreza e pensando em como seria me dedicar em tempo integral a promover conscientização e reconciliação para elas.

Conversei com um mentor a respeito de minha preocupação de me dedicar a esses dois projetos ao mesmo tempo e ele me desafiou: "Você está estudando e tem algumas experiências em sala de aula, mas creio que poderia ter bem mais experiências por meio de uma imersão total na comunidade".

Eu sabia exatamente do que ele estava falando. Uma coisa era teorizar e aprender sobre pobreza e teologia bíblica sentado em sala de aula; outra era sair às ruas para conhecer as pessoas e buscar soluções.

Não demorou a ficar claro que o doutorado era algo que eu queria apenas para mim mesmo. Era um objetivo bom e importante, mas não era o momento certo. O trabalho e as pessoas diante de mim precisavam mais da minha atenção que a sala de aula.

Depois de duas matérias do curso, disse para minha esposa: "Estou pensando em parar o doutorado".

Foi difícil abrir mão desse sonho, mas foi um sacrifício necessário para ajuntar um tesouro no céu. Agora sei que foi, sem sombra de dúvida, a melhor decisão que eu poderia ter tomado. Prefiro estar próximo daqueles a quem servimos a ter diante de mim um professor em uma grande sala de aula falando de coisas que talvez ele nunca tenha feito. Há uma grande diferença.

E as lições que estou aprendendo com meu trabalho proporcionam conhecimento indispensável que eu não poderia obter em nenhum outro lugar.

Ainda quero o doutorado. Devo continuar a adiá-lo? Quando for o momento certo, a oportunidade surgirá. Até então, porém, não posso colocar meus projetos individuais acima das pessoas.

Um doutorado é uma coisa boa. Por vezes, temos de abrir mão de coisas boas para criar espaço em nossa vida para coisas ainda mais importantes. É nessas horas que entra em cena o conhecimento de nossos valores centrais. Temos uma quantidade limitada de tempo, espaço e recursos para dedicar a questões diversas. Para começar, temos de reconhecer o que estamos fazendo com nosso tempo e recursos no presente a fim de passarmos a um ritmo que corresponda a nossos valores e ao plano de Deus para nossa vida. Quem sabe um dia criarei margem suficiente em minhas páginas para completar esse curso; no momento, porém, alcançar pessoas é mais importante. E sou grato porque, ainda assim, tenho oportunidade de dar palestras em faculdades, universidades e tantos outros lugares em que posso usar todo o meu conhecimento.

A margem de suas páginas

Como você pode começar a criar essa margem nas páginas de sua vida? Quando penso em margens, penso em reduzir a vida a sua forma mais simples. Quanto precisamos de fato? A maior parte das coisas atrás das quais corremos enferruja, apodrece e deteriora com o tempo. Não podemos levar nossos diplomas de doutorado para a sepultura, como também não podemos levar nossos aparelhos enormes de televisão, nossos *smartphones* e cartões de crédito.

Alguns anos atrás, fui apresentado ao presidente de um estúdio cinematográfico. Ele soube de minha caminhada para Washington, DC, e acompanhou a jornada nas redes sociais. Enviou um *e-mail* para minha esposa e disse que queria se encontrar comigo quando eu voltasse.

No dia da reunião, fui até o local, parei diante do portão fechado e dei ao guarda o nome da pessoa que havia me convidado. Os olhos dele se estreitaram e, confuso, olhou para o computador, depois para mim, e de novo para o computador. Lentamente, o portão começou a se abrir, e dirigi até a entrada dos estúdios.

Caminhei até a porta da frente, e a recepcionista me conduziu até o elevador que ia direto para o último andar. Foi então que caiu a ficha: o homem com o qual ia me encontrar era *o* presidente de toda aquela empresa.

A porta do elevador abriu para um escritório com vidros do piso ao teto e uma vista da cidade toda. Sentamo-nos e conversamos sobre a Marcha Contra a Pobreza, que tinha me levado a caminhar mais de 1.100 quilômetros para chamar atenção para os pobres. Comecei a lhe contar minha história, falando da infância durante a qual minha mãe e minha família lutaram contra a pobreza, e do tempo que passei morando na rua. Nos olhos dele surgiram lágrimas que ele dissipou rapidamente piscando algumas vezes.

— Quero ajudar. O que posso fazer?

Pego de surpresa com essa oferta imediata, pensei no próximo projeto que nossa organização iria realizar.

— Temos um projeto chamado Lista de Desejos de Natal. É uma campanha para dar presentes a pessoas que já conhecemos e para suprir necessidades na comunidade em que servimos.

Ele, a esposa e o irmão compraram todos os presentes da lista que lhe enviamos. E, perto do Natal, trouxe seus familiares para trabalharem como voluntários conosco. Ali ao meu lado estava aquele prestigiado produtor de filmes distribuindo presentes para famílias em situação de pobreza.

Naquele dia, ele se voltou para mim e disse:

— Precisamos disso. Minha família precisa de mais oportunidades como essa.

Depois daquela ocasião, ele comentou comigo que o serviço faria parte do estilo de vida deles. Se alguém como esse homem pode parar e criar espaço para servir, será que nós, comparativamente menos atarefados e com menos responsabilidades, não temos uma margem em nossas páginas para fazer o mesmo?

Costumo recomendar que as pessoas comecem com algo pequeno, nem que seja uma hora por mês. Parece razoável? Garanto que qualquer um pode arranjar uma hora por mês para dedicar a um trabalho voluntário. "Mas e se eu disponho de apenas uma hora? Ou de apenas cinco dólares por mês para contribuir? Será que adianta alguma coisa?" Ouço essas perguntas com frequência.

Uma hora por mês não é muita coisa para uma pessoa só. Não levamos em conta, porém, que essa questão não é resolvida por apenas um indivíduo, mas por esforços conjuntos. E se mil pessoas que estão lendo estas palavras trabalhassem como voluntárias uma hora por mês? Em um ano seriam doze mil horas dedicadas a prover oportunidades e criar relacionamentos para lutar a favor da justiça.

Semana passada, eu estava em nosso centro comunitário quando um carro parou no estacionamento. Tínhamos encerrado o trabalho da manhã e esgotado o estoque de sacolas de alimento. Uma mulher de idade saiu do carro e foi até a recepção. Contou para nós parte de sua história: "Tenho 83 anos. Estou com câncer e não quero mais cirurgias. Se eu partir, parti. Meu neto está no carro. Ele está de férias. Agora que não está indo para escola, não tenho comida suficiente para ele". Seus olhos se encheram de lágrimas, enquanto eu pensava em como poderíamos ajudar essa senhora, uma vez que não tínhamos mais alimentos.

Naquele instante, outro carro estacionou na frente do centro comunitário e uma voluntária desceu, abriu o porta-malas, tirou várias sacolas de compras e as entregou como doações. Mais que depressa, pedimos à voluntária que ajudasse a colocar os alimentos no carro da avó, que caiu em pranto.

Aquela voluntária levou 25 minutos para vir de carro até o centro comunitário e apenas alguns minutos para juntar alimentos de seus armários. Em menos de uma hora, ela ajudou a alimentar uma família. Não importa quão pequeno seja o ato, ele faz diferença. O impacto começa uma pessoa por vez.

Pergunto-me como seria se os cristãos começassem uma revolução — a revolução de sermos generosos com nosso tempo e criarmos em nossa vida uma margem para as coisas importantes. De acordo com um estudo recente, há cerca de 240 milhões de cristãos nos Estados Unidos.[4] Você pode imaginar como seria se 240 milhões de cristãos doassem uma hora por mês para propagar a mensagem de Jesus ao servir aos pobres e defender os que não têm voz? Poderíamos mudar o mundo.

Talvez você diga que dar algo a alguém não eliminará o enorme problema da pobreza. Não estou defendendo, porém, a ideia de que as pessoas recebam coisas de graça e outros façam doações para se sentirem bem consigo mesmos. Estou pedindo mais que isso: uma revolução e uma mudança radical em nossas prioridades. Minha proposta é que as pessoas percebam quanto impacto poderíamos exercer se dedicássemos mais tempo a outros, a servir, enxergar e amar os que vivem à margem da sociedade.

É preciso coragem para se opor à vida que estamos vivendo e mudar. Muitas vezes, significa abrir mão de alguma outra atividade. Talvez até mesmo de algo bom. Começa com uma avaliação introspectiva de nossos valores e de como eles permeiam nossa vida.

E se dedicássemos todo esse tempo a edificar pessoas, em vez de edificar depósitos maiores para nossos bens? Que mudanças ocorreriam no mundo se criássemos nas páginas de nossa vida uma margem para servir aos vulneráveis, aos marginalizados e aos que não têm voz? Não foi o partido deles que Jesus tomou?

4
Quanto é suficiente?

Durante a semana em que morei na rua, meus amigos e eu íamos até uma esquina pedir uns trocados. No decorrer das quatro horas que ficávamos ali, centenas de carros passavam por nós. A pior parte era quando alguém nos ignorava completamente, como se não existíssemos. Depois do tempo na esquina, por vezes caminhávamos debaixo do viaduto para descansar. Outras vezes andávamos vários quilômetros até o McDonald's mais próximo na esperança de que alguém comprasse algum dos itens de um dólar do cardápio.

Muita coisa passa pela mente de uma pessoa parada em uma esquina. Como cheguei aqui? Quem vai me ajudar? Será que vou comer? Será que o próximo carro vai parar? Será que eles nos veem?

Também caminhamos algumas vezes até o albergue para verificar se havia lugar disponível. E, em alguns dias da semana, fomos a refeitórios e centros de distribuição de alimentos. Nessas andanças constantes, eu me perguntava: "Quem é responsável pelos pobres?".

São as pessoas nos carros que passam por nós? As ONGs e os albergues? Cabe ao governo providenciar para que os pobres não morram de fome nas ruas? Como nos tornamos pessoas que não apenas assumem responsabilidade pelos desvalidos, mas também mudam o enfoque, deixando de se concentrar em si mesmas e voltando a atenção para o outro?

Agora que administro uma ONG dedicada a trabalhar com

os pobres, ouço várias respostas diferentes para essas perguntas. Cada um tem uma opinião diferente a respeito de quem é responsável pelos pobres. (Detalhe: as pessoas raramente dizem que são elas próprias.) Como Jesus respondeu a essas perguntas?

Em Mateus 25, Jesus diz:

> Então o Rei dirá aos que estiverem à sua direita: "Venham, vocês que são abençoados por meu Pai. Recebam como herança o reino que ele lhes preparou desde a criação do mundo. Pois tive fome e vocês me deram de comer. Tive sede e me deram de beber. Era estrangeiro e me convidaram para a sua casa. Estava nu e me vestiram. Estava doente e cuidaram de mim. Estava na prisão e me visitaram".
>
> Então os justos responderão: "Senhor, quando foi que o vimos faminto e lhe demos de comer? Ou sedento e lhe demos de beber? Ou como estrangeiro e o convidamos para a nossa casa? Ou nu e o vestimos? Quando foi que o vimos doente ou na prisão e o visitamos?".
>
> E o Rei dirá: "Eu lhes digo a verdade: quando fizeram isso ao menor destes meus irmãos, foi a mim que o fizeram".
>
> Em seguida, o Rei se voltará para os que estiverem à sua esquerda e dirá: "Fora daqui, malditos, para o fogo eterno preparado para o diabo e seus anjos. Pois tive fome, e vocês não me deram de comer. Tive sede, e não me deram de beber. Era estrangeiro, e não me convidaram para a sua casa. Estava nu, e não me vestiram. Estava doente e na prisão, e não me visitaram".
>
> Então eles dirão: "Senhor, quando o vimos faminto, sedento, como estrangeiro, nu, doente ou na prisão, e não o ajudamos?".
>
> Ele responderá: "Eu lhes digo a verdade: quando se recusaram a ajudar o menor destes meus irmãos e irmãs, foi a mim que se recusaram a ajudar".
>
> Mateus 25.34-45

Quando leio essa passagem, seu significado fica evidente. Na verdade, é um texto simples, mas somos tentados a torná-lo mais complexo. A meu ver, ele diz que nós, cristãos, somos os principais responsáveis pelo cuidado dos pobres.

É fácil os cristãos inventarem desculpas a respeito do que leva as pessoas à pobreza e, pior ainda, acreditarem nas falsas narrativas que ouvimos na mídia e de pessoas ignorantes. Por vezes, usamos indevidamente as Escrituras para justificar nosso distanciamento e nossa apatia para com os pobres. Ouço Mateus 26.11, "Vocês sempre terão os pobres em seu meio", ser citado equivocadamente para isentar as pessoas de ajudar os pobres. Quando Jesus fez essa declaração, na verdade estava apontando para duas coisas. Estava citando outra passagem (Dt 15.11) e estava ensinando aos discípulos a importância de servir aos pobres.

Para quem andava com Jesus, que era judeu, e para quem entendia o contexto, o significado era claro.[1] Esta é a passagem original em questão:

> Se [...] houver algum israelita pobre em suas cidades quando chegarem à terra que o SENHOR, seu Deus, lhes dá, não endureçam o coração e não fechem a mão para ele. Ao contrário, sejam generosos e emprestem-lhe o que for necessário. Não sejam mesquinhos nem se recusem a emprestar a alguém só porque o ano de cancelamento das dívidas está próximo. Se vocês se recusarem a fornecer o empréstimo e a pessoa necessitada clamar ao SENHOR, vocês serão considerados culpados de pecado. Deem aos pobres com generosidade, e não com má vontade, pois o SENHOR, seu Deus, os abençoará em tudo que fizerem. Sempre haverá pobres na terra. Por isso, ordeno que compartilhem seus bens generosamente com os pobres e com outros necessitados de sua terra.
>
> Deuteronômio 15.7-11

Quando lemos essas palavras dentro do contexto, portanto, a ordem é para que abramos a mão para os pobres, e não sejamos apáticos e distantes. No Evangelho de João, em que essa frase também ocorre, Jesus está dizendo que devemos ser generosos com os desvalidos. Aliás, quando lemos as palavras em João 12, Jesus está repreendendo seu discípulo Judas (cobiçoso e ladrão) por desprezar uma mulher que ungiu Jesus com perfume.

Então Maria pegou um frasco de perfume caro feito de essência de óleo aromático, ungiu com ele os pés de Jesus e os enxugou com os cabelos. A casa se encheu com a fragrância do perfume.

Mas Judas Iscariotes, o discípulo que em breve trairia Jesus, disse: "Este perfume valia trezentas moedas de prata. Deveria ter sido vendido, e o dinheiro, dado aos pobres". Não que ele se importasse com os pobres; na verdade, era ladrão e, como responsável pelo dinheiro dos discípulos, muitas vezes roubava uma parte para si.

Jesus respondeu: "Deixe-a em paz. Ela fez isto como preparação para meu sepultamento. Vocês sempre terão os pobres em seu meio, mas nem sempre terão a mim".

João 12.3-8

Boas-novas para os aflitos

Lembro-me da primeira vez que prestei atenção à mensagem do evangelho. Tinha ido à igreja durante a infância e adolescência, mas como a maioria das crianças e jovens, só me apropriei pessoalmente da fé aos vinte e poucos anos. Na época, estava percorrendo um caminho destrutivo, e as boas-novas do evangelho ajudaram a mudar o rumo de minha vida. O que me espantou é que essa mensagem se baseia em um tipo de carência: a carência de acesso a Deus. Vivemos em pobreza espiritual e precisamos de alguém que pague nossa dívida, o que, é claro, Jesus fez. Sempre defini pobreza como falta de acesso. Como cristãos, portanto, acaso não devemos ter consciência de quanto é maravilhoso ter recebido acesso a algo de que necessitávamos tão encarecidamente? Se essa é a essência do evangelho, por que hesitamos tanto em assumir responsabilidade pelos pobres como forma de retribuir?

Como mencionei anteriormente, o apóstolo Paulo escreve que Jesus se tornou pobre para que tivéssemos riqueza espiritual no relacionamento com Deus. Paulo afirma que Jesus abriu mão de tudo. David Jones observa: "A fim de assumir carne humana e habitar no meio de pecadores e na sujeira deste mundo, Jesus teve de colocar de lado a riqueza do céu".[2] Jesus "esvaziou a si mesmo; assumiu a posição de escravo e nasceu como ser humano. Quando veio em forma humana, humilhou-se e foi obediente até a morte, e morte de cruz" (Fp 2.7-8).

Uma das maiores barreiras com as quais deparei foi a distinção feita pelos cristãos entre ortodoxia e ortopraxia. *Ortodoxia* significa nos certificarmos de que pensamos de forma correta a respeito de Deus. *Ortopraxia*, por sua vez, enfoca como a doutrina deve ser colocada em prática.

A melhor maneira de mostrar para outros em que você crê é praticar essa crença em seu modo de vida.

Nossa ganância moderna

O oposto de falta de acesso é a busca por fartura. A busca por fartura também é conhecida como ganância. É difícil tratar desse assunto. Ganância é uma palavra pesada e feia, e a maioria das pessoas não reconheceria que é gananciosa. A maioria de nós não tem consciência de que está lutando pessoalmente contra a ganância.

Muitas coisas são comercializadas para atender a nossa ganância e desejo de obter da vida o máximo que pudermos. Adquira isso e você irá mais longe; compre aquilo e será bem--sucedido. More aqui. Faça compras lá. Os publicitários nos dizem que não há nada de errado em acumular tudo o que pudermos, sem a mínima consideração por outros. A ganância contribuiu para a pobreza interior que enfrentamos em tantos aspectos.

Henri J. M. Nouwen, conhecido clérigo e autor que dedicou os últimos dias de sua vida a pastorear pessoas com deficiências, percebeu que todos nós somos pobres em algum aspecto. Todavia, quando escolhemos entregar nossa vida, descobrimos que há bênção até mesmo em nossa pobreza. No livro *Pão para o caminho*, Nouwen escreve:

> De que maneira podemos acolher a pobreza como caminho para Deus, quando todos ao nosso redor desejam se tornar ricos? A pobreza tem muitas formas. Precisamos nos perguntar: "Qual é a minha pobreza?". É falta de dinheiro, falta de estabilidade emocional, falta de um parceiro carinhoso, falta de proteção, falta de segurança, falta de autoconfiança? Cada ser humano tem um lugar de pobreza. É nesse lugar que Deus quer habitar! "Bem-aventurados os pobres", diz Jesus (Mt 5.3). Isso significa que nossa bênção está escondida em nossa pobreza. Somos tão propensos a esconder nossa pobreza e ignorá-la que, muitas vezes, perdemos a oportunidade de descobrir Deus, que habita ali. Tenhamos a ousadia de ver nossa pobreza como a terra em que nosso tesouro está escondido.[3]

E se, em vez de considerarmos nossa pobreza interior um lugar do qual devemos fugir, começássemos a vê-la como o lugar em que Deus quer se encontrar conosco? Poderíamos usar essa perspectiva para amar outros que são pobres da mesma forma. Antes disso, porém, precisamos abrir mão da ganância que está gerando nosso vazio interior.

Quando Adão e Eva estavam no Jardim, a serpente os tentou ao convencê-los de que havia algo mais, de que podiam saber mais, ser mais, se comessem do fruto. Essa é a tentação que assola você e eu hoje. Como posso trocar uma fração de Deus por algo um pouco mais tangível?

Cultivamos uma percepção falsa de pertencimento ao colecionar bens considerados valiosos. Ter mais coisas que nosso próximo deve significar que somos mais importantes, que pertencemos. A ganância perpetua o vazio profundo, a busca por aceitação e o anseio desesperado por encontrar valor. Quando procuramos nosso significado ao correr atrás de mais coisas em vez de buscar a Deus, fazemos mal a nossa alma. A ganância nos ensina a cuidar de nossos interesses a tal ponto que ficamos cegos para as necessidades daqueles que estão ao nosso lado. A ganância nos ensina até mesmo a buscar a criação em lugar do Criador.

Não é estranho que as pessoas estejam em busca de tudo, exceto do Deus que criou todas as coisas?

É algo arraigado em nossa sociedade. É o motivo pelo qual alguém comprou os prédios atrás do albergue de Atlanta que foi fechado para que, em seu lugar, pudessem ser construídos apartamentos vendidos por trezentos mil dólares.[4] É o motivo pelo qual os planos de saúde e as administradoras das penitenciárias são empresas com fins lucrativos. Vivemos em uma economia que prospera ao trocar pessoas por lucro. Essa realidade se infiltra em nossas escolas, igrejas e famílias. É o motivo pelo qual bairros sucumbem à gentrificação e moradores são obrigados a deixar suas comunidades.

Para você e eu, a ganância talvez assuma a forma de trocar de telefone cada vez que um modelo novo é lançado, ter um carro de luxo e comprar uma casa maior. São coisas que também já fiz. Adquirir o que há de mais novo produz uma euforia temporária que nos faz esquecer qualquer coisa que realmente valha a pena. Em minha opinião, em muitos aspectos a ganância capitalista nos afastou daquilo que é mais fundamental: amar as pessoas. Elas deixaram de ser o centro da atenção; essa posição é ocupada pelo desejo de ter mais coisas.

Jesus nos deu uma história para tratar da ganância. Em Lucas, contou a parábola do rico insensato:

> Em seguida, disse: "Cuidado! Guardem-se de todo tipo de ganância. A vida de uma pessoa não é definida pela quantidade de seus bens".
>
> Então lhes contou uma parábola: "Um homem rico tinha uma propriedade fértil que produziu boas colheitas. Pensou consigo: 'O que devo fazer? Não tenho espaço para toda a minha colheita'. Por fim, disse: 'Já sei! Vou derrubar os celeiros e construir outros maiores. Assim terei espaço suficiente para todo o meu trigo e meus outros bens. Então direi a mim mesmo: Amigo, você guardou o suficiente para muitos anos. Agora descanse! Coma, beba e alegre-se!'.
>
> "Mas Deus lhe disse: 'Louco! Você morrerá esta noite. E, então, quem ficará com o fruto do seu trabalho?'.
>
> "Sim, é loucura acumular riquezas terrenas e não ser rico para com Deus".
>
> Lucas 12.15-21

A pergunta reformulada seria algo como: "Se você morrer amanhã, a que terá dedicado toda a sua vida? Todos os frutos de seus esforços desaparecerão? Em prol de quem, verdadeiramente, terá trabalhado?".

É uma pergunta difícil, mas importante. Raramente paramos para imaginar o que acontece com todas as nossas coisas quando morremos. O primeiro passo para combater a ganância é assumir responsabilidade pelas pessoas à nossa volta.

Você pode fazer mais do que imagina

Alguns meses atrás, conversei com Andrea. Ela desejava participar do trabalho que estamos realizando em Atlanta. Começou dizendo: "Quero muito ajudar, mas não sei se posso. Não tenho dinheiro sobrando no momento. Está difícil pagar as contas. Não sei o que posso fazer".

Raramente pessoas ricas fazem grandes contribuições financeiras para nosso ministério. Claro que esse tipo de doação fica bonito nas redes sociais, mas é muito raro o impacto ser decorrente de poucas pessoas que doam somas vultosas. O tipo de mudança que estamos realizando é social; nele, reunimo-nos e compartilhamos nossas aptidões para prover acesso e oportunidade a todos.

Ao conhecermos Andrea melhor, descobrimos que tinha aptidão para fazer pesquisas. Nessa época, estávamos ajudando um de nossos amigos, Brian, a fazer a transição da situação de rua para a estabilidade depois de dez anos. Não é difícil se identificar com a história de Brian, pois é o tipo de coisa que pode acontecer com qualquer um de nós. Ele perdeu o emprego durante a Grande Recessão, sua esposa o abandonou e ele passou a consumir bebidas alcoólicas e medicamentos. Por fim, viu-se morando na rua.

Certo dia, encontramos Brian revirando nossas latas de lixo à procura de alimento. Depois de trabalharmos com ele durante uns dois meses, ele se reuniu com Andrea, que ainda não sabia ao certo como poderia ajudar. Os dois conversaram por algum tempo e, à medida que Andrea ouviu a história de Brian, foi fazendo perguntas sobre ele e sua família. Essa voluntária o ajudou a localizar membros da família com os quais ele havia perdido contato. Depois de algumas semanas de pesquisa e de telefonemas e mensagens, ela conseguiu ajudá-lo a restabelecer contato com a família e a filha, com a qual ele não falava havia mais de trinta anos. Andrea testemunhou o reencontro dos dois. Esses contatos deram a Brian motivação e apoio para sair da pobreza, encontrar trabalho para sustentar-se e recomeçar.

É por isso que precisamos de você. É por isso que precisamos de todos.

Algumas pessoas gostam de serviço de escritório. Outras têm experiência em construção. Outras têm conhecimento de *design* e decoração. Quanto mais pessoas se envolvem e usam suas aptidões, mais ampla se torna a equipe que pode exercer influência positiva.

Quando Paulo escreveu a respeito do corpo de Cristo (1Co 12.12-27), imagino que foi isso que ele visualizou. O olho precisa da mão. A cabeça precisa dos pés. Deus concedeu dons diversos ao corpo de Cristo a fim de que possamos trabalhar juntos para imitar a Cristo. Deus é glorificado por um corpo que trabalha como um todo saudável. E, quando isso acontece, o mundo é transformado.

O impacto que exercemos

Antes de encerrar o capítulo, gostaria de lhe contar mais uma história.

Semana passada, levei meu filho ao barbeiro. É uma daquelas tradições sagradas, entre pai e filho, à qual espero que ele dê continuidade caso tenha um filho. Enquanto estávamos lá, minha esposa e minha filha foram até uma loja de departamentos no *shopping*. Uma vez que o barbeiro terminou o trabalho, meu filho e eu fomos para o carro esperar as meninas voltarem. No estacionamento diante do *shopping*, vi um homem com duas crianças. Estavam sentados no meio-fio, e não pude deixar de imaginar o que estavam fazendo ali. Não conhecia a história daquele homem, mas não consegui me livrar da imagem dele e das crianças sentados no estacionamento. Perguntei-me quem ele era, o que o havia levado até lá e se tinha as mesmas oportunidades que eu.

A verdade é que eu não seria quem sou hoje sem os relacionamentos em minha vida que me conduziram até aqui. Minha mãe criou sozinha minha irmã e eu. Tinha diversos empregos para nos sustentar. Sua luta contra a pobreza e a ausência de uma figura paterna em minha vida se refletiram nas dificuldades que tive com minha identidade. Não sabia o que significava ser um homem íntegro, de caráter. Na adolescência, tive de aprender a ser pai para mim mesmo em várias situações. Por fim, acabei nas ruas, com meus amigos. Passava o dia em parques e dormia no carro. Quem olha para mim hoje dificilmente imaginaria que fiz parte de uma gangue e fui preso algumas vezes.

Tinha 20 anos quando resolvi mudar de vida. Aconteceu quando estava sentado no banco frio de metal da cela escura de uma delegacia.

Um homem mais velho sentado ao meu lado se voltou para mim e disse: "Por que você está jogando sua vida fora?".

Algo lá no fundo ouviu o que ele disse, ouviu para valer. Havia esse potencial intangível, mas real, que eu sabia que tinha para fazer algo da vida. E vi esse mesmo potencial naquele homem sentado no meio-fio do estacionamento.

Minha mãe foi me buscar na delegacia, e as queixas foram retiradas. Minha vida nunca mais foi a mesma. Depois daquele momento, encontrei centenas de pessoas que me influenciaram e que fizeram de mim o homem que sou agora. Não estaria aqui se não fosse pelos relacionamentos e pelas oportunidades que tive.

Por vezes, não percebemos a importância de oportunidades para mudar o mundo de uma pessoa. Estive em reuniões com presidentes de empresas e advogados e dei palestras para milhares de pessoas. Pergunto-me se o sujeito no estacionamento terá a oportunidade de conhecer as pessoas que conheci. Quem sou eu, portanto, para acumular minhas oportunidades, influência ou contatos e me gabar de que cheguei até aqui por esforço próprio?

Essa história de que as pessoas se fazem por si sós não existe. Todos nós somos produto de nossos ambientes, contatos e acesso a oportunidades. A responsabilidade é coletiva. Não existe um indivíduo, um grupo ou uma igreja que tenha a resposta única. É como tentar montar um quebra-cabeça enquanto algumas peças estão escondidas debaixo da mesa porque não se consideram parte do quadro mais amplo.

Se o sujeito sentado no estacionamento com os filhos não receber oportunidades, será que seus filhos as receberão? Talvez, se tiverem sorte. Por acaso meus filhos merecem oportunidades melhores porque o pai deles as recebeu? Por acaso aquelas crianças são menos dignas dessas oportunidades? Não se trata de ter como alvo a erradicação da pobreza. Trata-se de usar os recursos, as oportunidades e as aptidões que temos como instrumentos para trabalharmos juntos e aprimorarmos a vida uns dos outros. É uma mudança no coração e na mente que nos leva a assumir responsabilidade não apenas pelas coisas tangíveis que temos, mas por todos os recursos que nos foram concedidos. Estamos trabalhando juntos para lutar contra a ganância e a favor uns dos outros, e esse é um vislumbre do reino de Deus.

O que isso significa para você? Recorde-se de como o sacrifício e o cuidado de outros lhe deram oportunidades que mudaram sua vida. Como você pode se tornar alguém que vê outros como oportunidades, e não como pesos?

5
A ignorância pode ser prejudicial

Uma vez por mês, vou ao centro da cidade com um grupo de voluntários para servir e conhecer melhor a comunidade que luta para sobreviver. Os voluntários vêm de diversas igrejas locais, ou conheceram nosso trabalho nas redes sociais, e todos têm um histórico de vida diferente. Chamamos essa oportunidade de serviço "Reúna Atlanta", pois pessoas com as mais variadas ocupações servem àqueles que são desconsiderados pela sociedade. Descobrimos que o serviço une pessoas de diferentes grupos étnicos, e isso honra a Deus. Anos atrás, minha esposa e eu começamos a levar grupos para as ruas a fim de criar a oportunidade de estender o amor de Deus além das quatro paredes da igreja. É fácil a igreja voltar o foco para si mesma e se esquecer do que acontece do lado de fora (supondo que você não faça parte de uma comunidade que prioriza o serviço).

No entanto, temos plena consciência de que é difícil garantir que cada voluntário recebeu o devido treinamento; queremos servir a todos.

Certa manhã, quando alguns de nós estávamos arrumando mesas e doações, uma voluntária chamada Anna colocou sobre a mesa alguns alimentos que ela havia trazido para distribuir. Eram sanduíches de queijo e presunto, um lanche normal e fácil de entregar.

Pessoas foram se reunindo junto às mesas, e começamos a distribuir alimentos, água, *kits* de higiene e afins. Um senhor de idade se aproximou da mulher que estava entregando os sanduíches e perguntou:

— Que tipo de carne tem nesses sanduíches?

— Os sanduíches são de queijo e presunto. Que diferença faz? Pegue o saquinho — Anna disse em tom depreciativo.

— Ah, tá certo. Obrigado, mas hoje não vou querer — o senhor respondeu.

— O quê? Como assim? — Anna perguntou, a voz cheia de incredulidade. — É *inacreditável* como algumas pessoas são ingratas. Que absurdo!

Vi a cena se desdobrar e fui até o senhor idoso que havia recusado o sanduíche para saber por que ele não queria o alimento. Depois de um minuto de conversa, descobri que ele era diabético. Tinha se tornado vegano havia pouco tempo e estava tentando comer mais legumes e verduras.

Relatou que sua família tinha um histórico de problemas de saúde e que, pelo fato de morar na rua, ele havia se acostumado a comer uma porção de alimentos mais baratos, porém não saudáveis, que eram distribuídos. Explicou que estava tentando cuidar da saúde para ter uma vida melhor.

Agimos como Anna com mais frequência do que provavelmente gostaríamos de reconhecer. Deixamos que nossa ignorância influencie nossas reações. "Ignorância" é uma daquelas palavras que costumamos usar de modo indevido. "Ignorante" tem uma conotação negativa e, muitas vezes, é empregada como sinônimo de "burro" e "tacanho".

Percebo, contudo, que ignorância é mais relacionada à incapacidade de entender os sentimentos dos outros ou de se identificar com esses sentimentos. Ignorância é definida simplesmente como falta de conhecimento e de informação, mas é a nossa reação ao sermos confrontados com nossa ignorância que faz toda diferença. A armadilha na qual a maioria das pessoas cai é acreditar que o único mundo que existe é aquele que corresponde a sua cosmovisão; aquilo que elas veem e vivenciam é a verdade absoluta.

De onde vem a ignorância?

Quase todos nós temos tradições associadas às festas de fim de ano: pijamas coordenados para toda a família, árvore de Natal, presépio de cerâmica, ou talvez um daqueles calendários de Advento com um chocolate atrás da porta correspondente a cada dia. Em minha família, começamos uma tradição de serviço. Servir quer dizer simplesmente encontrar um lugar para trabalhar como voluntário ou criar uma oportunidade de voluntariado para atender a outros, um dos valores centrais de nossa família durante o Advento.

Minha esposa e eu decidimos muitos anos atrás, antes de termos filhos, que priorizaríamos a ideia de *ser um presente*, antes de abrir presentes com nossos filhos. Mesmo antes de nossos filhos virem ao mundo, criamos um ambiente propício para essa ideia ao colocá-la em prática todos os anos.

Nos últimos catorze anos, levamos um grupo para servir aos moradores de rua. Essa ação abrange uma série de coisas, desde distribuir sopa quente até sentar para conversar com alguém que não tem família e está em situação de rua. Ou pode ser uma distribuição de cobertores para aqueles que ficam expostos às intempéries de inverno. Nossos filhos participam conosco dessas atividades.

Claro que esse sacrifício nem sempre é fácil diante do consumismo segundo o qual o Natal é algo que diz respeito a nós e a comprar todos os novos produtos eletrônicos. Minha esposa e eu, contudo, temos o firme desejo de que nossos filhos aprendam desde cedo que é muito melhor compartilhar e ser uma bênção tangível para os menos privilegiados.

A cada Natal, portanto, acordamos cedo, escovamos os dentes, trocamos de roupa e vamos para o centro da cidade para encontrar pessoas no frio e distribuir coisas que possam aquecê-las. Faz bem ao coração ver nossos filhos participando dessas práticas que, assim acreditamos, honram a Deus. Aliás, uma de minhas passagens prediletas é Provérbios 14.31: "Quem ajuda o necessitado honra a Deus".

Pesquisadores da Northeastern University descobriram que até 93% de nossas ações futuras são previsíveis com base em nosso passado.[1] Seguimos tradições e costumes porque fazem que nos sintamos mais seguros. Entramos na onda e fazemos o que todos os outros estão fazendo para evitar sofrimento e solidão. A maior parte do tempo, seguimos determinados procedimentos porque sempre fizemos as coisas dessa forma. Não se trata de algo necessariamente ruim, a menos que tenha consequências para pessoas que não têm voz nem voto. Quando nossas ações e tradições prejudicam outros, ou quando não reconhecemos as pessoas que estamos excluindo graças a nossos hábitos, entra em cena nossa ignorância.

Em geral, a ignorância nasce de crenças ou preconcepções transmitidas a nós ou que assimilamos de outros, criadas por alguma geração anterior e pela história. O aspecto positivo é que, quando nos dispomos a questionar de onde vem um conjunto de crenças ou ações, é meio caminho andado para resolver o problema.

Em que cremos a respeito dos pobres hoje? De que maneira eles são percebidos? Na maioria dos casos, as pessoas creem que os pobres são preguiçosos, incultos, perigosos, problemáticos, sem caráter, merecedores de sua pobreza, e assim por diante. Vemos essas percepções no noticiário, em comentários de pessoas que admiramos e em nossa própria cosmovisão. No artigo "Destruindo o mito de que 'auxílio do governo torna as pessoas preguiçosas'", Derek Thompson escreve: "O conceito se encontra tão profundamente inserido no pensamento político dominante que, muitas vezes, é declarado sem provas".[2]

Não é raro pensarmos: "Trabalho um bocado em meu emprego para não precisar pedir dinheiro nas ruas. O mesmo não vale para essas pessoas?". (Com frequência, não é o caso. As consequências da injustiça sistêmica quase sempre fazem parte desse quadro.)

Você sabia que pessoas em situação de rua muitas vezes precisam queimar roupas doadas como se fossem lenha para permanecer aquecidas? E que o segmento de moradores de rua que mais cresce é o de famílias com filhos?[3]

Poderia levantar outros questionamentos semelhantes a esses e complicar ainda mais as coisas. Tenho a tendência de procurar entender todos os detalhes e me informar a respeito de todos os fatos. No fim das contas, porém, você e eu precisamos voltar à origem de nossas crenças e perguntar: Como Deus vê os pobres? E, então, precisamos nos avaliar de acordo com esse parâmetro.

O Deus que vê

Afinal, como Deus vê os pobres? Em Gênesis, Hagar, uma serva egípcia marginalizada e pobre clamou a Deus em desespero. Hagar estava fugindo quando um anjo do Senhor lhe apareceu e perguntou aonde ela estava indo. Depois de Hagar ser vista por Deus em seu momento mais sombrio, ela "passou a usar outro nome para se referir ao Senhor, que havia falado com ela. Chamou-o de 'Tu és o Deus que vê'" (Gn 16.13).

Deus restaura a dignidade de Hagar ao vê-la — ao ver onde ela estava, para onde estava indo, por que estava com medo, e ao chamá-la para sua verdadeira identidade. Deus foi o primeiro a dizer: "Vejo você". Ele o diz para você e para mim em nossos momentos mais sombrios, e para os pobres e marginalizados nas ruas. Se somos seguidores do Deus que vê, precisamos nos tornar pessoas que veem. Precisamos nos tornar pessoas que mostram e anunciam para outros: "Vejo você".

A Bíblia tem mais de duas mil referências a pobreza e justiça. As seguintes são algumas das mais relevantes para consideração.

O Senhor é abrigo para os oprimidos,
   refúgio em tempos de aflição.

Salmos 9.9

Felizes são vocês, pobres, pois o reino de Deus lhes pertence.
Felizes são vocês que agora estão famintos, pois serão saciados.
Felizes são vocês que agora choram, pois no devido tempo rirão.

Lucas 6.20-21

Não se preocupem com seu próprio bem, mas com o bem dos outros.

1Coríntios 10.24

Quando membros do povo santo passarem por necessidade, ajudem com prontidão. Estejam sempre dispostos a praticar a hospitalidade.

Romanos 12.13

Se um irmão ou uma irmã necessitar de alimento ou de roupa, e vocês disserem: "Até logo e tenha um bom dia; aqueça-se e coma bem", mas não lhe derem alimento nem roupa, em que isso ajuda?

Tiago 2.15-16

Jesus sempre pede que nos sacrifiquemos. Pede constantemente que cuidemos dos pobres e marginalizados. Na igreja, complicamos as coisas ao criar dias especiais de serviço ou inventar justificativas para a situação dos pobres. Infelizmente, porém, quando não nos atentamos para os pobres, deixamos de compreender a essência do evangelho. Focalizamos as coisas erradas. O amor pelos oprimidos e marginalizados ocupa o cerne do evangelho.

Perguntei a meu amigo Brenton, pastor em Virginia, o que mudou seu modo de enxergar pessoas em situação de pobreza. Ele fez alguns comentários perceptivos sobre como foi crescer em uma igreja que nunca falava dos pobres.

Explicou: "Não fazia parte do ensino. O enfoque de nosso discipulado e crescimento como cristãos era sempre alcançar determinado nível de moralidade. Dizia respeito ao que devíamos fazer, ao que não devíamos beber, com quem devíamos ou não passar tempo, ao que assistíamos na TV e qual era nossa ética sexual".

Prosseguiu: "Não tínhamos entendimento nenhum de ética social e só enfocávamos a piedade pessoal. Consequentemente, não compreendíamos a ética de Jesus em relação aos pobres, nem aprendíamos a esse respeito. Essa foi minha experiência de crescer numa igreja evangélica conservadora em uma região rural".

Perguntei a meu amigo como foi sua transição. Ele respondeu: "Não foi uma mudança repentina. O processo começou com a participação em uma comunidade que colocava essa ética em prática, quando conheci pessoas impactadas pelas questões de 'justiça social' e ouvi suas histórias. Tive de fazer perguntas difíceis a respeito de nossas ações e motivações. Jesus nunca evitou as perguntas difíceis e nunca deixou de confrontar os 'melhores' religiosos com o fato de que não haviam entendido o que era mais importante".

Temos a responsabilidade de seguir o exemplo de Jesus. Não temos mais justificativas para nossa ignorância das necessidades e das aflições dos pobres e de como é absolutamente essencial cuidar deles. Cuidar dos pobres e relacionar-se com eles é o evangelho. É paralelo à vinda de Jesus à terra para fazer aquilo que não tínhamos condições de fazer por nós mesmos. Se não percebermos ou entendermos plenamente a misericórdia que nos foi oferecida, ela não transformará nossa vida como deve.

Deixamos de tratar do que é mais importante e nos esforçamos para obter santidade artificial em vez demonstrar a outros o amor que Jesus demonstrou por nós. Pode ser difícil tirar o foco de nós mesmos como heróis e mártires que nos tornamos em nossa busca por santidade. Muitos de nós trabalhamos a vida toda para alcançar esse patamar espiritual. Mas de que adianta, se não entendemos aquilo que é fundamental?

Da ignorância à empatia

Quando um mestre da lei perguntou a Jesus como podia herdar o reino de Deus, Jesus narrou a história do bom samaritano. Conversamos sobre essa história e sua relação com nossa responsabilidade para com os pobres, mas ela também diz respeito a nossa ignorância. Começa com um homem no caminho de Jericó que é atacado, assaltado, espancado brutalmente e largado à beira da estrada. Primeiro, um sacerdote que passa por ali atravessa a estrada para evitar o homem ferido. Em seguida, um levita, outro homem religioso, também atravessa a estrada para evitá-lo. Por fim, um samaritano, inimigo dos judeus, depara com o viajante. Em vez de passar reto, socorre o homem, leva-o até a cidade mais próxima e cobre os custos de sua convalescença.

Por que Jesus contou essa história? O que ela significa? Estudei essa passagem repetidamente, e algo se destacou a respeito do samaritano. Naqueles dias, os judeus odiavam os samaritanos e, em algumas regiões, muitos samaritanos eram alvo de opressão e discriminação. O que estava se passando na mente do samaritano? Era apenas um sujeito extraordinariamente nobre que estava percorrendo aquele caminho?

Ao me aprofundar em minha pesquisa sobre o tratamento dispensado aos samaritanos naquela época, percebi que esse samaritano provavelmente sabia como era ser espancado e largado à beira da estrada. Sabia como era ser odiado, ignorado e tratado como se tivesse menos valor que os demais. Algo acontece dentro de nós quando vivenciamos pessoalmente uma situação. Essa experiência muda nossa forma de ver o mundo, de reagir a ele e compreendê-lo. O desenvolvimento de empatia tem efeito transformador em nós. A verdadeira transformação acontece quando somos capazes de reconhecer nossos preconceitos contra pessoas de aparência e experiências diferentes.

Vivenciei algo nessa linha durante minha infância a adolescência. Houve épocas em que minha família (dirigida por minha mãe) teve de se mudar várias vezes e enfrentou dificuldades financeiras, mas nunca ficamos completamente sem ter onde morar.

Em minha vida adulta, escolhi passar alguns dias na rua para conhecer as realidades enfrentadas pelas pessoas às quais eu servia e com as quais estava trabalhando. Embora eu imaginasse que sabia um bocado sobre morar na rua, encontrar-me debaixo de um viaduto, passando frio, com fome, sentindo-me envergonhado por não ter com que comprar uma refeição, foi diferente de tudo o que eu sabia. Experimentar os sentimentos, os pensamentos, as dúvidas e os medos foi muito mais intenso, frustrante e assustador do que eu poderia ter imaginado.

Esses momentos, e outros que vieram depois, foram fundamentais para desenvolver empatia e compreensão por um grupo de pessoas sobre as quais eu supunha ter amplo conhecimento. Quando Jesus veio à terra para viver conosco, queria que nós soubéssemos que ele entende, que ele esteve aqui; ele oferece compaixão porque esteve no meio do caos conosco.

Combatendo a ignorância

Voltemos à história de Anna e dos sanduíches de presunto. Depois que conversei com o homem que recusou os sanduíches e fiquei sabendo que ele tinha diabetes e estava procurando desenvolver um estilo de vida mais saudável, também conversei com Anna. Contei para ela a história do homem, falei de seu problema de saúde e de seu esforço para fazer os ajustes necessários.

A atitude dela mudou completamente; ela se comoveu com a história. Algo aconteceu quando ela foi exposta à realidade dele. O morador de rua pelo qual você passa no cruzamento também tem uma história. Depois de experiências como a de Anna, tornamo-nos responsáveis por nossa possível ignorância e nossa vida é transformada.

Ter a mente aberta e disposição de fazer perguntas é o primeiro passo para combater nossa falta de conhecimento. Não se trata apenas de uma ação exterior, como doar mantimentos e distribuir sanduíches. Trata-se de ouvir a história de alguém e ser capaz de se identificar com ela. As histórias dessas pessoas são repletas de dor e dificuldades, mas também de amor e família. Se você se permitir, poderá se identificar com partes desses relatos.

Depois da disposição de combater a ignorância, vem a exposição a coisas que causam incerteza. Sempre que surgir uma ligeira sensação de incerteza, medo ou confusão a respeito de algo ou alguém, faça uma pausa antes de reagir e procure entender o resto da história. Expor-se à cosmovisão alheia fortalecerá sua maneira de ver o mundo, e as conversas e relacionamentos o ajudarão a se identificar com os outros como Jesus fez.

A única maneira de se livrar da escuridão é deixar que a luz brilhe. Crie relacionamentos com pessoas diferentes de você; desse modo, você descobrirá as histórias, a dor e as partes mais belas da vida de outros. O único jeito de formar ligações com outra pessoa é procurar entendê-la, em vez de reagir com base em preconceitos.

Museu da dignidade

Em um de nossos projetos mais recentes, convertemos um contêiner de doze metros no primeiro museu de Atlanta sobre situação de rua e pobreza. Não existem outros espaços na cidade que informem o público mais amplo sobre as realidades que os sem-teto enfrentam na sociedade e relatem suas histórias. Fazemos uso de tecnologia a fim de criar uma experiência de imersão para que os visitantes aprendam sobre a vida diária das pessoas nas ruas. Esse ensino será usado não apenas para criar mais empatia, mas também para produzir mobilização. Ao escrever sobre esse museu, as seguintes palavras me vieram à mente de imediato:

> Mais de um milhão de pessoas vive em situação de rua nos Estados Unidos, e um quarto desse número é de crianças. Ao longo da história, ser sem-teto foi considerado uma falha de caráter, um defeito de personalidade a ser desprezado. Muitos que estão em situação de rua não receberam oportunidade de encontrar alternativas. É uma realidade sistêmica, geracional e, com frequência, resultado de conceitos equivocados de longa data a respeito daqueles que enfrentam essa dificuldade. A vida deles passa despercebida nas esquinas, debaixo de viadutos e em beliches de albergues em todo o país.[4]

O Museu da Dignidade compartilha a história dos esquecidos e apresenta as causas injustas da disparidade de alocação de recursos. Apresenta os relatos dos que nasceram em pobreza, dos que se tornaram sem-teto na vida adulta, das crianças que pedem dinheiro em semáforos e da luta coletiva para superar suas circunstâncias.

Sabemos como é maravilhoso ser vistos, ouvidos, ter nossa verdadeira identidade reconhecida e ser tratados como pessoas relevantes. Quem não gosta do reconhecimento decorrente de um trabalho bem feito ou da honra recebida por ter se esforçado além da obrigação? Também sabemos como é ser tratado como alguém inferior, discriminado, ignorado, incompreendido, criticado e excluído. Há pouca coisa pior que ser tratado de forma injusta e não poder fazer nada a esse respeito, ou ser excluído de algo a que damos grande valor.

Cremos que todos merecem dignidade e que cada história é importante. Portanto, assumimos o compromisso de contar as histórias dos esquecidos como forma de declarar a dignidade de todos que vivem às margens da sociedade. Por isso escolhemos o nome Museu da Dignidade. É um espaço singular pelo fato de ficar dentro de um contêiner e poder ser transportado para diversas partes da cidade ou do país. Esperamos formar parcerias com organizações e pessoas que tenham uma visão semelhante à nossa para oferecer essa experiência ímpar a fim de conscientizar pessoas em vários lugares. Se você souber de uma organização ou escola que tenha interesse em trazer esse museu para seu espaço, fique à vontade para entrar em contato conosco.

Espero que jamais subestimemos o poder que temos de fazer a luz brilhar nos lugares escuros ao nos mostrar dispostos a expor os lugares sombrios e estranhos dentro de nós. Deixo com você este versículo para reflexão:

> Se alguém tem recursos suficientes para viver bem e vê um irmão em necessidade, mas não mostra compaixão, como pode estar nele o amor de Deus? Filhinhos, não nos limitemos a dizer que amamos uns aos outros; demonstremos a verdade por meio de nossas ações.
>
> 1João 3.17-18

6
Você faz parte da solução

Mal terminarmos de ler sobre uma tragédia, e parece que outra já está acontecendo. De policiais que atiram em negros desarmados e um sem-teto que passou três meses na cadeia porque o caixa da loja o acusou de ter uma nota falsa de dez dólares (que, no fim das contas, era autêntica) até a gentrificação de bairros que deixa os pobres sem ter para onde ir, essas notícias podem nos arrasar e nos fazer imaginar que é impossível contribuir de algum modo para resolver os problemas intermináveis no mundo.[1]

Uma pergunta que persiste em nossa mente quando deparamos com essas histórias é: Qual é meu papel nisso? Sempre converso sobre isso com meu amigo Matt Heath.

Nós dois cremos que é fácil nos voltarmos para políticos, líderes de organizações sem fins lucrativos e pastores que lutam contra a injustiça social e subestimar o impacto daquilo que pessoas "comuns" podem realizar. Somos tentados a subestimar nossa influência sobre questões tão amplas porque cremos que o problema é grande demais ou porque não temos preparo suficiente para ser relevantes. Esquecemos com frequência, porém, que podemos fazer uma enorme diferença para melhor como comunidade.

Algo perigoso acontece quando começamos a crer nessa narrativa de impotência sobre nós mesmos, nossas comunidades e o mundo ao nosso redor. É uma crença que começa pequena, quando não nos comprometemos com trabalhos voluntários ou passamos direto por alguém na rua porque não sabemos muito bem o que fazer. Com o tempo, contudo, transforma-se em algo recorrente e nos leva a crer que não fazemos parte da solução.

É difícil nos considerarmos parte da solução para problemas que ocorrem em toda parte. No entanto, talvez ninguém tenha lhe dito quanto você é necessário neste mundo ou quanto é valiosa sua contribuição para o plano mais amplo que Deus está colocando em ação. Quem sabe você imagine que não faria diferença se ajudasse, ou pense que as verdadeiras mudanças são território daqueles que dedicam a vida toda a lutar por justiça. Essa é uma grande mentira. Você tem dentro de si tudo de que precisa para contribuir de modo relevante para este mundo.

Eu mesmo costumava acreditar nessas pressuposições negativas. Quando estava no ensino médio, 25 professores e funcionários da escola me disseram que eu não seria ninguém. Esses professores não faziam ideia das questões familiares que eu estava enfrentando; em vez disso, voltaram o foco para os aspectos negativos e destacaram o que eu tinha de pior. Não me viram como um todo.

No último ano do ensino médio, um colega e eu começamos a discutir; a discussão terminou em uma briga que durou três minutos antes que fôssemos separados. Quando estávamos para ser mandados para a sala do diretor, um professor substituto me chamou de lado e disse que, embora eu estivesse me metendo em encrencas, ele me considerava competente para falar em público e acreditava que eu tinha potencial para ser um grande líder. Seu comentário mudou minha vida. *Quem? Eu?*

Até então, eu havia acreditado nas narrativas de todos a respeito de quem eu era e do que eu tinha a oferecer. As mesmas mentiras se repetiam em minha mente: você não é bom o suficiente; é excluído; não pertence a lugar nenhum. Era mais fácil acreditar no que eu ouvia do que lutar para me tornar alguém diferente. Essa era minha pobreza interior.

Será que fui o único a deixar que minhas circunstâncias determinassem quem eu me tornei? Obviamente, a resposta é não.

Se tiver sorte, haverá um momento em que você perceberá que as coisas que outros disseram a seu respeito talvez não sejam verdade; você pode questionar por que sempre acreditou em algo e, então, mudar o próximo capítulo de sua vida. Não creio que Deus se assuste com nossas perguntas. Aliás, Jesus costumava fazer perguntas desafiadoras ao interagir com os líderes religiosos.

Fico feliz de ter questionado a narrativa que me foi apresentada durante boa parte de minha vida. E se eu tivesse acreditado nas predições de meus professores do ensino médio sobre quem eu me tornaria? Aliás, voltei àquela escola para dar palestras aos alunos e aos professores.

Para a maioria das pessoas, essa mudança acontece de forma gradativa, mas é instigada por um momento singular, o momento em que nos abrimos para fazer perguntas a respeito de nós mesmos, do mundo ao redor e de nosso papel nesse mundo. Na maioria dos casos, não há respostas concretas para cada situação singular. No entanto, ter a mente aberta e a disposição de crescer, aprimorar-se e encontrar plenitude é transformador.

É isso que acontece quando pessoas têm um encontro com Jesus — não da forma que vemos na escola dominical, mas quando encontram com Deus na dor e no sofrimento, no amor e nas perguntas sem resposta. De algum modo, Deus é grande o suficiente para sustentar todas as coisas. Um traficante de drogas se torna um pequeno comerciante. Uma mãe insegura se torna autora. Uma jovem de vinte e poucos anos aprende a perdoar os pais.

Você escolhe seu futuro

A jornada de mudança de crenças é difícil. Sentimo-nos confortáveis com nossa presente condição. Na maioria das vezes, essas crenças contribuem para toda a nossa visão de mundo e são a base sobre a qual construímos toda a nossa vida. Como poderíamos considerar que talvez estejamos equivocados sobre algumas coisas referentes a nós mesmos ou ao mundo que nos rodeia? E se temos mais a oferecer do que nos permitimos crer? E se, na realidade, o mundo precisa de nossa contribuição?

O processo de se conscientizar daquilo que você tem a oferecer e de colocar isso em uso consiste em duas coisas: primeiro, saber quem Deus o criou para ser, e segundo, reconhecer os dons e talentos que você tem a oferecer.

A primeira parte talvez pareça lugar-comum. O que significa saber quem Deus o criou para ser? O que lhe vem à mente é uma porção de cartazes motivacionais e canções infantis? Para mim, o salmo 139 foi de grande ajuda:

> Tu me observavas quando eu estava sendo formado em segredo, enquanto eu era tecido na escuridão.
> Tu me viste quando eu ainda estava no ventre;
>   cada dia de minha vida estava registrado em teu livro,
>   cada momento foi estabelecido quando ainda nenhum deles existia.
>
> Salmos 139.15-16

Deus conhecia meus dons, aptidões e talentos e sabia dos fracassos e dos erros que eu cometeria, e ainda assim me amou. Sabia da família na qual eu nasceria e de tudo o que eu sofreria em minha vida. Ele se deu até o trabalho de produzir significado profundo a partir das maiores dificuldades e dores que enfrentei. Seria impossível servir às pessoas a que atendo hoje e trabalhar com elas se eu não soubesse como é sentir-se perdido, vulnerável e invisível. Não tenho uma explicação para a existência do sofrimento, mas creio que uma das coisas que ele produz é uma ligação mais profunda com outras pessoas. Jesus sabe disso. Quando ele veio a este mundo, identificou-se conosco e com toda a humanidade de uma forma nunca antes vista, até mesmo em todo o sofrimento que ele teve de suportar.

Depois de Jesus, José, filho de Jacó, é minha figura bíblica predileta. Incompreendido, cresce em uma família problemática, tem sonhos, é rejeitado e vendido pelos irmãos e passa por treze anos de provações sucessivas. É injustamente jogado no cárcere e, por fim, consegue sair e é nomeado pelo faraó para administrar o Egito durante um período de escassez de alimentos. Em Gênesis 50, é confrontado por seus irmãos depois de anos de sofrimento e diz: "Vocês pretendiam me fazer o mal, mas Deus planejou tudo para o bem. Colocou-me neste cargo para que eu pudesse salvar a vida de muitos" (Gn 50.20).

Quero crer que a maior parte de nossas histórias é semelhante à de José. A realidade é que somos pessoas normais, como José, com famílias bagunçadas, bagagem e (esperamos) capacidade de reconhecer Deus em meio ao caos. Pela providência de Deus, foi revelado a José quanto sua dor e sua perseverança foram valiosas. Pergunto-me quantas pessoas morrem no deserto sem ter quem as valide ou sem entender a importância de sua dor.

O mesmo se aplica a Moisés, cuja mãe o colocou num cesto que o levou rio abaixo. Raabe era chamada de meretriz e salvou israelitas em Jericó. A rainha Ester salvou o povo judeu de um rei perverso ao se posicionar corajosamente em favor da justiça. Essas figuras da Bíblia foram usadas por Deus apesar de suas falhas e imperfeições visíveis. Deus pode usar qualquer pessoa.

Histórias de pessoas comuns que mudam o cenário e o futuro não aparecem somente na Bíblia. E também não são apenas histórias antigas. Considere as experiências de Fannie Lou Hamer, Ella Baker, Mamie Till, Bayard Rustin, Daisy Bates, reverendo John Conley e muitos outros heróis do movimento de direitos civis. É a mesma história de uma de minhas várias inspirações dessa era, o dr. Martin Luther King Jr.

Dr. King era um homem comum. Seu pai era pastor e sua mãe, professora. Cresceu em uma época em que as pessoas eram tratadas injustamente e discriminadas com base na cor de sua pele.

Hoje, o dr. King é um herói. Passou a vida lutando por igualdade e justiça para todos. Em seu tempo, contudo, era odiado. Sofreu oposição do governo e ameaças constantes de morte.

A luta do dr. King por justiça e igualdade não era vista com bons olhos, mas ele se levantava a cada manhã e se dedicava a essa causa. Começou boicotes a ônibus, foi agredido com jatos de água e sabia que sua vida corria perigo; sentou-se para almoçar enquanto pessoas gritavam insultos contra ele e lhe diziam que ele não valia nada e que não havia lugar para ele. No livro *April 4, 1968: Martin Luther King Jr.'s Death and How It Changed America* [4 de abril de 1968: A morte de Martin Luther King Jr. e como ela mudou os Estados Unidos], Michael Eric Dyson revela que alguns queriam ver King morto porque o odiavam.[2]

King lançou o alicerce de sacrifício e mostrou como Deus

pode nos usar para cumprir um propósito mais amplo no mundo. Ao perseverar em sua luta por justiça, recebeu apoio cada vez maior. Tantas pessoas se juntaram a ele e o ouviram que as coisas começaram a mudar. Aos poucos, foi revelada a perversidade de atitudes outrora comuns na sociedade, pois alguém teve coragem de se opor a esses males. O movimento cresceu porque as pessoas começaram a prestar atenção. Pessoas comuns, que acreditavam que a injustiça era grande demais para ser vencida, simplesmente começaram a ouvir e a mudar suas crenças a respeito de si mesmas e daqueles ao seu redor.

Talvez seja difícil imaginar a sensação de ouvir alguém dizer que você é menos valioso ou sub-humano em razão da cor de sua pele ou de suas origens. No entanto, os pobres ouvem que têm menos valor e são sub-humanos. Não receberam as mesmas oportunidades que temos e, por isso, suas famílias estão morrendo de fome e dormindo debaixo de pontes.

O segundo passo no processo de fazer diferença para melhor é reconhecer os dons e talentos singulares que cada um de nós recebeu. Como o professor substituto que me ajudou a perceber que minhas aptidões não eram na área de matemática e ciências, mas em comunicação e em reunir pessoas, precisamos reconhecer nossos talentos específicos. Pergunte-se: "O que sei fazer bem? Como ajudo outros? O que me incomoda?". Muitas vezes, as coisas que nos incomodam e despertam sentimentos intensos dentro de nós são áreas em que podemos ser relevantes.

Vejo com frequência pessoas inativas que admiram outros por causa de certas virtudes que eles têm. Não desperdice sua vida desejando ser outra pessoa. Descubra quem você é e use seus dons de modo apropriado. Não importa se você é contador, escritor, artista, estudante, caixa, pai ou mãe que cuida dos filhos em tempo integral. Todos nós temos uma contribuição singular e necessária a oferecer.

Em 1Coríntios 12, Paulo compara a igreja a um corpo. As aptidões singulares de cada parte do corpo contribuem para criar um sistema completo, que funciona. Deus dá a cada um de nós diferentes aptidões, dons espirituais e talentos dos quais o mundo precisa. O que você recebeu não foi por acaso ou engano.

Se você não conhece suas aptidões, faça um teste de personalidade, converse com amigos, envolva-se com algo de seu interesse. Começar a se conhecer é uma das coisas mais importantes para seu processo de desenvolvimento.

Depois de descobrir quem você é e que talentos pode oferecer, informe-se a respeito das necessidades das pessoas e da comunidade ao seu redor. Chamo isso de proximidade. Em geral, não sabemos o que está acontecendo na comunidade e, muitas vezes, dizemos coisas como: "Não creio que minha comunidade tenha problemas de pobreza". Eu lhe garanto que isso não é verdade.

Desde 1990, a pobreza em bairros residenciais cresceu 50%.[3] É fácil esconder esse tipo de pobreza por trás de portas fechadas. Em comunidades com oportunidades limitadas de empregos com salários mais elevados, famílias enfrentam dificuldades financeiras. A pobreza está por toda parte. É importante fazer nossa própria pesquisa demográfica para descobrir o que se passa em nossa comunidade.

Minha abordagem à solução criativa de problemas é semelhante ao raciocínio de *design*. Essa forma de raciocínio se refere a estratégias criativas que *designers* usam em seus processos de trabalho. Para mim, fornece uma abordagem sistemática para ir da empatia à implementação de uma ideia que poderá ajudar a atender às necessidades das pessoas ao redor.

Criei uma versão modificada do raciocínio de *design* para ajudar em meus processos pessoais. Dividi-a em cinco palavras: discernimento, imaginação, colaboração, atuação e impacto.

Discernimento. Para que haja discernimento é necessário ouvir e prestar atenção às tendências sociais e culturais. Estude a comunidade ao seu redor a fim de conhecer pessoas que talvez estejam em dificuldades. Ouvir as pessoas ao seu redor o ajudará a identificar as necessidades de sua comunidade. Pergunte-se o que está acontecendo e desenvolva a capacidade de peneirar informações.

Imaginação. A imaginação abrange considerar o problema e, ao mesmo tempo, pensar nos recursos disponíveis. Pergunte-se: "Que recursos, excedentes ou oportunidades tenho em minha vida que podem atender a essa necessidade?". Essa etapa é o início da elaboração de uma solução. Imagine converter um ônibus em um local onde pessoas possam tomar banho ou converter um terreno em um pequeno conjunto habitacional.

Colaboração. Tenho convicção de que a colaboração é uma das chaves mais importantes para resolver qualquer problema. Isolar-se e buscar as próprias soluções jamais produzirá mudanças em grande escala. Uma vez que tiver discernido um problema e imaginado uma solução, pergunte-se: "Quem eu conheço que pode ajudar?". Esse é o momento de usar relacionamentos e plataformas já existentes para projetar uma visão e convidar pessoas a participarem da jornada, em vez de começar do zero a cada vez.

Atuação. Como você pode testar as soluções elaboradas por meio da colaboração com outros? Depois de testar suas ideias, você começa a propagar seu impacto. Este é o lema: "Impacto acima de perfeição". Não se concentre em fazer tudo corretamente; concentre-se em criar uma mudança relevante.

Quanto mais você atuar em sua comunidade, mais coisas descobrirá a respeito das pessoas ao seu redor ao criar relacionamentos duradouros. Quanto mais relacionamentos criar, mais discernimento terá, o que o leva de volta ao primeiro passo, para que você possa repetir o ciclo com outras necessidades de sua comunidade. Essa sequência de etapas nos leva a minha parte predileta do processo, o *impacto*.

Impacto. Em última análise, o impacto é o objetivo principal. Você faz diferença para melhor na vida dos necessitados.

Prossiga

Quando passei por uma reviravolta e comecei a defender os vulneráveis e os que não têm voz, meus amigos e familiares pensaram que fosse apenas uma fase. Muitos perguntaram o que me levou a fazer uma coisa dessas. Lembro-me até que, a certa altura, algumas amizades acabaram porque as pessoas não entenderam que meu valor próprio agora vinha de outro lugar: do relacionamento com Deus. Embora o fato de esses amigos não acreditarem que eu havia mudado tenha me entristecido, entendi por que chegaram a essa conclusão. Sabia que precisava provar que estavam errados e mostrar que podia ir além dos rótulos e das falsas expectativas que as pessoas tinham a meu respeito. Logo descobri que quem determina meu valor não são as pessoas — é Deus.

Tinha essa imagem mental da pessoa que eu costumava ser em uma ponte e da pessoa que sou agora em outra ponte. Em minha mente, queimei a ponte para a pessoa que eu costumava ser. Precisei visualizar essa cena e tomar a decisão de que nunca voltaria a ser aquela pessoa. Não poderia jamais voltar às antigas formas de pensar e aos comportamentos e desculpas egoístas. Removi de mim mesmo os rótulos de "desajustado", "inútil" e "rebelde".

Para dizer a verdade, mesmo depois de queimar a ponte com minha antiga identidade e remover os rótulos de meu sistema de crenças, ainda enfrentei lutas. Não existe vara de condão para remover problemas. Em certo sentido, porém, minha antiga identidade permitiu que eu me relacionasse com outros e os incentivasse a ser mais do que eram antes. Deu-me empatia que eu jamais teria sem essas experiências.

Só deu certo porque, a cada dia, eu me punha em pé e prosseguia. Movia-me um passo de cada vez na direção que desejava, a fim de escrever minha história. Ainda não me sinto à vontade em cargos de liderança e ao falar em eventos. Sou uma pessoa extremamente comum e intensa, e em alguns dias sinto-me exausto e tiro cochilos. Portanto, se alguém como eu está exercendo impacto positivo, você também pode fazê-lo.

Tempos atrás, conheci um sujeito extraordinário chamado Paul. Ele veio ao centro da cidade para trabalhar em minha equipe e ajudar em uma ação para a comunidade. Reunimo-nos em uma igreja grande antes de começar as atividades do dia. Fiquei em pé e agradeci a todos por terem vindo e falei suscintamente sobre liderança por meio de serviço. Em seguida, fui para o fundo do auditório enquanto alguns membros da equipe explicavam qual seria a programação.

Vi esse garoto se levantar de seu lugar lá na frente e vir até o fundo, onde eu estava. Com um sorriso imenso no rosto ele se apresentou e disse:

— Estou aqui para trabalhar como voluntário, mas trouxe meu saxofone e amplificadores, e ficaria superfeliz de tocar alguma coisa. Posso?

Fiquei surpreso. Ninguém nunca havia me perguntado algo semelhante ao realizarmos uma ação desse tipo. Para ser sincero, não fazia ideia se esse garoto sabia tocar saxofone direito, mas respondi:

— Claro! Fique à vontade. Pode arrumar seu equipamento.

Paul chamou seu assistente (depois descobri que era seu irmão) para ajudá-lo a pegar o equipamento no carro. Enquanto ele trazia o estojo com o sax, os amplificadores e os cabos, fiquei imaginando em que eu tinha me metido. Observei-o arrumando tudo e vi que um grupo se reuniu à sua volta enquanto o lanche era distribuído.

Depois de alguns minutos de expectativa, Paul começou a tocar e todos pararam o que estavam fazendo e prestaram atenção. Sua música parecia ter saído de um álbum de *jazz*. O pessoal começou a dançar e dizer: "É minha canção predileta!". O tom daquele dia mudou completamente. O ambiente se tornou mais divertido, amistoso e acolhedor. Paul trouxe àquela experiência uma dimensão que não havíamos percebido que estava faltando. Ao tocar música e convidar as pessoas a sorrir, dançar e rir juntas, ele tornou o evento mais que uma distribuição de itens de primeira necessidade. A música nutriu as pessoas mais do que um sanduíche de presunto poderia fazer. Perguntei-me se aquele era um vislumbre de como é o céu.

Este mundo precisa de seus dons e, o que é mais importante, precisa de você. Separe tempo para usar seus dons agora mesmo, por mais insignificantes que lhe pareçam. Precisamos que você esteja presente, que ofereça quem você é, mesmo que não saiba exatamente onde se encaixa. Eu lhe prometo que, se contribuir com sua identidade única, estará oferecendo mais do que pode imaginar.

7
Comunidades diferentes, necessidades diferentes

Ano passado, fui ao Kentucky para o lançamento de um documentário baseado em minha caminhada de Atlanta para Washington, DC. A campanha se chamava #MAP16 e foi lançada para conscientizar o público dos milhões em nosso país em situação de pobreza. O filme conta histórias de pessoas que encontrei ao longo do caminho. Seu título é *Voiceless* [Sem voz].[1]

Quando chegamos ao Kentucky, nosso amigo Michael Tucker nos recebeu no restaurante de sua família. Senti uma pontinha de apreensão de que o filme não seria bem recebido em um lugar que não tem muita pobreza visível. (Mais tarde, descobri que a pobreza nessa comunidade era bastante real, mas diferente do que eu havia imaginado.)

Atravessei de carro uma cidade pequena e, perto de uma comunidade Amish, passei por alguém em uma charrete. As mulheres trajavam vestidos longos, e os homens, ternos escuros e suspensórios. Enquanto dirigia pela estrada de terra, pensei: "O que aconteceria se esse pessoal com sua charrete e cavalo passasse pelas ruas de Atlanta?".

É engraçado imaginar como as pessoas reagiriam. Aposto que muitos perguntariam o que era aquilo. Para dizer a verdade, essa foi minha reação inicial quando vi a charrete puxada por um cavalo. Minha mente se encheu de perguntas.

O mesmo aconteceu em várias outras ocasiões nas culturas diversas que tive a oportunidade de observar e com as quais pude interagir. Cada cultura e cada lugar tem uma forma diferente de fazer as coisas. Essas diferenças não são inerentemente certas ou erradas; são apenas diferentes.

Em seu nível mais fundamental, diversidade é como ter de tirar os sapatos na casa de um amigo mesmo que você tenha o costume de entrar de sapatos em sua casa. Cada um tem regras e modos de vida diferentes.

Depois que Deus terminou de criar o mundo, disse que era bom. Tudo era bom. Creio que considerou igualmente boas as profundezas do mar e o deserto árido. Considerou bons os cactos e as florestas tropicais. Criou um mundo com espécies diversas e pessoas diversas. Imagino que você tenha uma aparência diferente da minha, mas ainda assim nós dois somos seres bons e belos criados por Deus.

Ser diferente de outra pessoa significa que temos formas diferentes de aprender, comer, interagir e viver, e problemas, preocupações, crenças e cosmovisões diferentes. Quando levamos isso em conta, percebemos que o modo como eu me relaciono com o mundo talvez pareça diferente do modo como você se relaciona com o mundo. Muitas vezes, isso significa que aquilo que, a meu ver, você precisa para resolver certos problemas é diferente daquilo que talvez você precise de fato.

Uma das matérias que tive de estudar no curso de aconselhamento foi diversidade cultural. Essa matéria me ajudou a entender a abordagem singular ao aconselhamento que devemos adotar para pessoas de diferentes origens. Comportamentos culturais, cosmovisões e sistemas de valores distintos tornam singular cada relação de aconselhamento. Diversidade cultural também se refere ao respeito que as culturas devem ter pelas diferenças umas das outras.

Deparo com essa questão com frequência, uma vez que meu sonho é erradicar a pobreza sistêmica. Muitas pessoas pensam que sabem as respostas. Isso acontece por bons motivos, pois fomos treinados para avaliar problemas, analisar os sintomas e descobrir uma cura. Por vezes, contudo, deixamos de enxergar a bela diversidade com que fomos criados e não percebemos que raramente existe uma cura padronizada, que sirva para todos os pobres. Vemos essa ideia na mídia quando, de uma forma ou de outra, pessoas fazem generalizações sem entender plenamente o universo de outros.

Isso acontece comigo, como afro-americano, quando meus amigos de outras etnias dão a entender que questões associadas à polícia não são tão problemáticas em nosso país. Mas eles não convivem com o medo que sentimos de policiais em virtude da cor de nossa pele.

Imagine comigo

Imagine a seguinte situação. Você acorda de manhã com dor de garganta e o nariz entupido. Lembra-se de ter ouvido alguém no escritório dizer que estava gripado e, portanto, decide ficar atento. Se não estiver se sentindo melhor no dia seguinte, vai procurar um médico. Na manhã seguinte, você acorda exausto, a cabeça latejando, as juntas doloridas e com garganta e nariz ainda piores. Vai direto para o consultório médico e conversa com a recepcionista.

Ela pergunta quais são seus sintomas e o instrui a aguardar na sala de espera. Depois de quinze minutos, a recepcionista o chama pelo nome, lhe entrega um papel e diz:

— Obrigada. Tenha um bom dia!
Confuso, você olha para o papel e vê que é a receita para um antialérgico. Você diz à recepcionista:
— Acho que você me deu a receita errada. Estou com sintomas de gripe. Ainda nem passei pela consulta com o médico.
Ela responde:
— É a receita certa. Eu relatei seus sintomas para o médico e ele disse que há muito pólen no ar desde a semana passada e que você está em uma crise alérgica. Só precisa tomar o remédio. O médico sabe do que está falando.
Um tanto frustrado e desesperado, você insiste:
— Você não está entendendo. Um colega de trabalho está com gripe, e eu nunca tive alergia.
— Esse é o diagnóstico do médico. Não há mais nada que eu possa fazer para ajudá-lo. Obrigada. Tenha um bom dia. E espero que melhore logo da alergia.

Pode parecer uma situação exagerada, ou algo que nunca aconteceria. No entanto, é o que fazemos todos os dias quando receitamos soluções para problemas de pessoas que nunca vimos e que não conhecemos.

Uma das coisas que mais gosto em Jesus é a forma como ele via as pessoas. Nos Evangelhos, há dezenas de versículos que dizem que "Jesus viu". Eis o motivo pelo qual essas palavras me parecem tão interessantes. São usadas, em vários momentos, para apresentar uma história, como na ocasião em que Jesus viu o homem junto ao tanque de Betesda (Jo 5.6) ou quando viu a mulher que andava encurvada havia dezoito anos (Lc 13.12).

Ao que me parece, esse "ver" não é a mesma coisa que acontece quando passamos de carro por alguém no semáforo. É o ver que acontece quando estamos sentados com um amigo tomando café juntos. Exige mais que um olhar de relance. Creio que Jesus olhava para a alma das pessoas, lia o que estava nas entrelinhas e via sua verdadeira essência. Só então ele restaurava a visão aos cegos, curava os paralíticos e expulsava os demônios.

Essa forma de ver de Jesus gerava proximidade, permitindo-lhe interagir e conversar com a pessoa à sua frente. Ele respondia às informações que a pessoa lhe fornecia. Quer o indivíduo fosse cego, quer tivesse perdido a filha, primeiro Jesus o via, depois interagia com ele e, só então, tomava uma providência. Via as pessoas em sua plena humanidade, com dignidade, com abertura para ir ao encontro delas onde quer que estivessem. Primeiro, precisamos aprender a ver.

Jamais esquecerei uma história que me comoveu profundamente. Gosto de levar o *notebook* para trabalhar em cafeterias. Há algo especial em um ambiente em que as pessoas estão ocupadas, conversando com outras e, muitas vezes, fazendo as coisas acontecerem. No entanto, também há o risco de ir parar em um local desses tipo em centros urbanos que estão passando por um processo de gentrificação.

Muitas vezes, enquanto trabalho sentado em uma cafeteria, vejo pessoas em situação de rua esperançosas de que alguém lhes pague uma xícara de café. De vez em quando, alguém ganha na loteria da "caridade". Mas, para receber seu prêmio, é preciso suportar olhares frios, caras feias e palavras maldosas.

Numa ocasião dessas, notei um homem afro-americano em pé do lado de fora da loja. Ouvi um grupo de jovens brancos em uma mesa perto da minha comentar sobre ele. O homem afro-americano, cujo nome não conheço, vestia meias encardidas e um par de *jeans* que não era lavado havia semanas. Os *jeans* tinham um buraco do tamanho de uma bola de basquete em uma das pernas, e era evidente que o homem não estava usando roupas de baixo.

Os rapazes, que vestiam terno e bebiam café quente, começaram a rir do sujeito lá fora. Falavam alto, e não pareciam se importar se alguém ouvisse suas palavras ofensivas e as piadas que faziam dele.

Tendo juntado trocados suficientes, o homem entrou para comprar uma xícara de café. Um dos jovens de terno lhe perguntou:

— Por que você não arranja um emprego em vez de ficar mendigando?

Seu amigo acrescentou:

— Não dá para conseguir emprego se você parece um lixo.

Um terceiro rapaz acrescentou algo que também feriu minha alma:

— Deus do céu, por que esse pessoal é tão preguiçoso?

Quando eu estava prestes a me levantar e defender o homem, um funcionário da cafeteria foi até os jovens e pediu que saíssem. Essa é uma história verídica. Aqueles rapazes representam o que acontece quando não acolhemos a diversidade.

Seja consciente e cuidadoso

Pouco tempo atrás, ao conversar com um de meus amigos que atende em uma comunidade urbana, perguntei como estava indo seu projeto. Ele disse: "Algumas das pessoas com as quais trabalhamos comentaram que detestam quando o 'pessoal da igreja' vem ajudar. Fui conversar com elas e tentar entender o que havia acontecido e qual era o motivo dessa antipatia".

Meu amigo lhes perguntou:

— Alguém me contou que vocês não acharam legal a turma

da igreja aparecer aqui. Por quê? Vocês não querem ajuda para cortar a grama ou pintar a casa?

— Claro que a gente quer — um homem disse a meu amigo.

— Mas esse pessoal diz coisas maldosas, e eu não estou a fim de ouvir outros me ofenderem.

— Como assim? O que eles disseram? — meu amigo quis saber.

— Eles pintam a casa, mas aí dizem coisas do tipo: "Seus filhos são tão comportados!". Ou "Puxa, como sua casa é limpa". Não gosto disso. Só porque a gente é mais pobre não significa que não tem valores morais ou ética para cuidar de nossas coisas.

Tenho certeza de que quem ajudou a pintar a casa não disse essas coisas por mal. No entanto, como aquele homem em situação de pobreza percebeu, o sujeito que pintou a casa imaginava que bens materiais (ou falta dos mesmos) definem a identidade das pessoas. É por isso que ajudar pode ser prejudicial, e é por isso que os médicos precisam ver os pacientes antes de receitar medicamentos.

Quando pensamos que é mais importante pintar a casa de alguém do que dar voz a essa pessoa, algo está errado.

É essencial saber distinguir entre o que tira a dignidade das pessoas e o que reforça essa dignidade. A lista abaixo pode ser útil para fazer essa distinção.

....

Coisas que reforçam a dignidade

Ver e valorizar as pessoas como Jesus faz. Para Jesus, era de suma importância expressar quanto ele valorizava aqueles com os quais parava para conversar. Não importava quem fosse, ele via o que tinham de melhor.

Dar opções. Só porque as pessoas são carentes, não significa que não podem tomar decisões e não têm preferências. Mencionei anteriormente a voluntária que se irritou com um senhor que estávamos ajudando porque ele quis algo diferente. Temos de permitir que as pessoas tenham escolha.

Ouvir os vulneráveis. Algo mágico acontece quando paramos tempo suficiente para ouvir as pessoas. Você sabe como é bom quando alguém o ouve falar de situações que você tem enfrentado. O mesmo vale para aqueles que nós notamos e ouvimos.

Capacitar pessoas. Pode ser algo simples, como compartilhar conhecimento e ensinar algo. Eu não estaria onde estou hoje se outros não tivessem se disposto a compartilhar seu conhecimento comigo.

Coisas que podem remover a dignidade

Forçar mudanças. Não devemos, jamais, tentar obrigar as pessoas a mudar. Deus é paciente conosco; portanto, precisamos ser pacientes com outros.

Usar linguagem estereotípica abusiva e ofensiva. Precisamos tomar cuidado sobre como nos dirigimos àqueles que desejamos ajudar. Se não tivermos cautela, nossas palavras poderão fazer mais mal do que bem.

Excluir pessoas, ou incluí-las com limitações. Devemos procurar ser mais inclusivos em vez de excluir outros por causa de sua pobreza.

Resolver problemas com dinheiro, em vez de nos dedicarmos a resolver problemas com talentos e dons. Precisamos ficar atentos para não tentar resolver problemas apenas com dinheiro, em vez de dar às pessoas aquilo de que mais precisam: relacionamentos.

A Roda do Bem-Estar

Meu escritório fica em College Park, Atlanta, um bairro em que faltam supermercados que ofereçam alimentos saudáveis.

Em Flint, Michigan (bem como em países pelo mundo afora), há falta de água potável; também há um alto índice de desemprego por causa de fábricas nos arredores que fecharam. Flint e College Park são duas comunidades bastante diferentes entre si, com problemas diferentes que contribuem para a pobreza sistêmica e a impulsionam. O recurso mais útil que encontrei até hoje para identificar esses tipos diferentes de carências dentro de uma comunidade se chama Roda do Bem-Estar.

A Roda do Bem-Estar original se baseava na psicologia individual de Thomas J. Sweeney e Melvin Witmer. Posteriormente, foi modificada por Jane E. Myers. Ao redor do indivíduo na Roda do Bem-Estar existem forças vitais que afetam seu bem-estar pessoal: família, religião, educação, trabalho, mídia, governo e comunidade. Também são representadas forças globais que o afetam.[2]

Hoje em dia, são usadas variações da Roda do Bem-Estar para entender o que é necessário para proporcionar bem-estar em determinado local. A Roda do Bem-Estar que eu uso é mais simples e focaliza as seguintes áreas: física, emocional, ocupacional, espiritual, ambiental, social, intelectual e financeira.[3] Cada uma dessas palavras em seu nível mais básico nos fornece um vislumbre de oito áreas que ajudam a pessoa a ter bem-estar total. Na maioria das vezes, nosso foco recai sobre as necessidades físicas que podemos suprir. É mais fácil, mais simples e muito mais cômodo pintar a casa de alguém e lhe trazer compras de supermercado do que ajudar essa pessoa a tratar de uma necessidade emocional, intelectual ou social.

É importante suprir uma necessidade física. Com frequência, pode ser o primeiro passo para ajudar alguém. Carências materiais ocupam a base da hierarquia de necessidades de

Maslow, ou seja, são as coisas essenciais para a sobrevivência. Acontece que às vezes ajudamos as pessoas a sobreviver, mas não investimos naquilo que é necessário para promover seu bem-estar total. As outras partes do bem-estar fazem que indivíduos saiam do estágio de sobrevivência e lhes dão um caminho para escapar da pobreza sistêmica que prende famílias ao longo de gerações.

Viver em um deserto alimentar, sem acesso a alimentos saudáveis, afeta a parte física do bem-estar do indivíduo, enquanto viver em uma comunidade com alto índice de desemprego tem maior impacto sobre seu bem-estar financeiro e ocupacional. Em uma comunidade com um índice elevado de mães solteiras, talvez observemos dificuldades sociais, enquanto em uma comunidade com um sistema educacional inadequado, talvez as dificuldades sejam de ordem intelectual.

Só é possível discernir essas diferentes necessidades ao entrar em uma comunidade e ouvir as histórias das pessoas que vivem ali. Se ouvirmos os clamores e discernirmos as necessidades por meio dessas conversas, poderemos usar a roda para entender melhor as necessidades e para analisar soluções que possam ser aplicadas para causar o máximo de impacto sobre as carências que afetam de modo direto essa comunidade específica.

Uma vez que identificamos algumas dessas necessidades, temos condições de projetar mais diretamente soluções para tratar das questões problemáticas. O que posso fazer para tratar do aspecto físico? Posso começar um grupo de caminhada? Construir uma academia? Fazer uma reforma? Em torno de que podemos organizar os membros da comunidade?

Se há uma carência espiritual, como podemos formar parcerias com igrejas na comunidade para oferecer espaços em que as pessoas tenham condições de se relacionar com Deus?

Se a questão é intelectual, será que podemos apresentar novas ideias e oportunidades para as pessoas, em lugar daquilo que as cercou a vida toda?

A Roda do Bem-Estar fornece, inicialmente, as ferramentas para entrar na comunidade e entender o que existe em pequena medida ou está ausente na jornada de seus membros rumo ao bem-estar. Em seguida, fornece uma estrutura para criar soluções inovadoras a fim de suprir suas necessidades. Cada comunidade é diversa, distinta, e precisa de atenção específica.

Saúde mental

Falando sobre necessidades específicas, gostaria de voltar o foco brevemente para a questão da saúde mental, elemento de grande importância na Roda do Bem-Estar e uma barreira para muitos em sua jornada rumo ao bem-estar. A saúde mental é um tema complexo e amplo que, por vezes, não tem respostas prontas. Refere-se a nosso bem-estar psicológico e emocional. Se uma pessoa não tem boa saúde mental geral, é possível que transtornos mentais estejam presentes. É interessante observar que transtornos mentais não fazem acepção de pessoas.

Alguém que você conhece (ou mesmo você) provavelmente já lidou com alguma dificuldade nessa área. A diferença entre as pessoas que você conhece e as que estão em situação de pobreza ou moram na rua por causa de suas dificuldades é quase sempre a rede de apoio que elas têm e a possibilidade de pagar tratamentos adequados.

Se você sentir ansiedade, imagino que tenha algumas pessoas em sua lista de contatos para as quais possa telefonar. E, se não tem, é provável que conte com um plano de saúde que oferece atendimento psiquiátrico e psicológico.

Como é vivenciar ansiedade, depressão ou outro transtorno mental sem ter uma rede de apoio, uma igreja ou uma família para ajudar? E se você passar por esses problemas enquanto estiver desempregado e sem plano de saúde? Transtornos mentais podem ser difíceis de superar, não importa quem você seja, mas com certeza são mais difíceis quando não há ajuda.

Nós na igreja precisamos abrir os olhos para a realidade sobre saúde mental. Embora existam inúmeros recursos disponíveis, o mais importante é ser honestos, abrir-nos e criar espaços seguros para falar sobre isso. Temos medo de tratar desse assunto e de conversar com pessoas que lidam com essas questões. É desagradável cuidar de alguém que nos parece desequilibrado, mas problemas de saúde mental são mais comuns do que imaginamos entre pessoas à nossa volta na igreja e em nossas famílias, como são em comunidades em que há pobreza.

Quando estava estudando aconselhamento, aprendi este segredo: *faça perguntas* e *ouça*. Você não precisa ter todas as respostas; aliás, não precisa ter resposta nenhuma. Apenas entre no universo de outras pessoas ao atentar-se para elas e estar presente. Se precisarem de encaminhamento, ajude-as a encontrar profissionais capacitados.

Boas perguntas

Algumas semanas atrás, uma família apareceu em nosso centro comunitário para o programa "Amor que Alimenta", em que distribuímos itens de primeira necessidade para famílias da comunidade. O casal entrou com uma criança, e observei que transpiravam bem mais que as outras pessoas que estavam chegando. Em geral, não noto nem comento sobre a aparência física de alguém que vem a nosso centro, mas deu para perceber que havia algo de diferente naquela família. Até mesmo a criança de dois anos estava suada. Os pais se apresentaram como Chris e Ashley.

Depois de alguns minutos de conversa, descobri que essa família tinha caminhado oito quilômetros só para buscar fraldas, e que a criança estava comendo molho de tomate em vez de papinha. Disseram que tinham vinte e poucos anos, e lhes perguntei se tinham familiares que poderiam ajudá-los. Ambos tinham perdido os pais na adolescência e assumido responsabilidades de adultos logo cedo. Haviam praticamente se criado.

Ao longo de vários meses, minha equipe caminhou com Chris e Ashley, ensinou-os a dirigir, ajudou-os a obter carteiras de motorista e até os abençoou com um carro doado.

Ajudar essa família não consistiu apenas em doar as duas sacolas de alimentos que entregamos nesse programa. No entanto, também não foi um processo complicado, em que tivemos de elaborar um plano de catorze passos. Comecei com algumas perguntas. Usamos perguntas como estas para descobrir por que o universo de uma pessoa se encontra em seu presente estado:

- Qual é seu nome?
- Há quanto tempo mora aqui?
- Sua família é daqui?
- Você tem uma comunidade que lhe dê apoio?

Conversas formam pontes para amizade e comunidade. Essas coisas que parecem pequenas e simples são as partes fundamentais para iniciar o processo de cura de nossa própria pobreza espiritual. Usamos essas peças para formar ligações uns com os outros e encontrar um lar e uma comunidade espiritual.

A história deles e a sua história

À medida que fiz mais perguntas para Chris e Ashley, camadas sucessivas de sua história foram reveladas. Ouvi e senti a dor que eles vivenciaram por não terem uma presença materna em sua vida. Contaram como ninguém os ensinou a dirigir, o que me fez pensar em mim mesmo aos 16 anos, sentado no carro com pessoas que me deram aulas de direção.

Quanto mais ouvi sua história, mais percebi sua carência. Vi como eram limitados naquilo que podiam fazer e alcançar. Perguntei-me o que seriam capazes de transmitir a seus filhos. Essa família é apenas um exemplo entre tantas pessoas cujas histórias não são ouvidas e cujas necessidades não são supridas.

A história deles me quebrantou e revelou para mim partes de minha história que tinham ligações com a deles e partes que despertaram gratidão. Nossas histórias são mais entrelaçadas do que imaginamos. Ao envolver-se com esse trabalho e ouvir as histórias de outros, se você estiver aberto, descobrirá coisas sobre si mesmo que talvez nunca imaginasse.

Isso me lembra o que Paulo escreve em 2Coríntios 5.17: "Logo, todo aquele que está em Cristo se tornou nova criação. A velha vida acabou, e uma nova vida teve início!".

Em minha pobreza espiritual, Cristo me atendeu, e minha vida nunca mais foi a mesma. De forma semelhante, como podemos fazer por outros o que Cristo fez por nós? Como podemos ver as pessoas como elas são de verdade, como Jesus nos viu, e oferecer a elas mais que uma casa pintada e uma sacola de alimentos?

8
Dignidade e como ver as pessoas

Alguns meses atrás, caminhei pelo centro de Chicago com minha esposa. Como em toda cidade, havia pessoas em situação de rua sentadas nas calçadas pedindo dinheiro. Um homem perguntou se eu podia comprar comida para ele. Sempre que alguém me faz uma pergunta específica, eu paro. Se estamos perto de um restaurante, vou com a pessoa até lá e compro uma refeição. Perguntei o nome dele; o homem ficou surpreso e respondeu que era Julius.

Tínhamos acabado de passar por uma lanchonete, e convidei Julius a nos acompanhar até lá. Abri a porta para ele entrar primeiro. Assim que nós dois entramos, todos repararam, especialmente nele. Os funcionários atrás do balcão não disfarçaram seu espanto. Trocaram olhares e se voltaram para nós com um ar de reprovação que nos deixou constrangidos.

Fomos até o balcão para fazer o pedido, e eu disse à moça no caixa:

— Vou pedir o mesmo que ele.

Então, perguntei a Julius:

— O que você quer?

Julius escolheu uma porção de frango frito.

— Tem certeza que quer só isso? — perguntei. Ele pediu mais algumas coisas.

Os olhares de reprovação e os sussurros persistiram. A moça atrás do balcão continuou a falar comigo, embora o pedido não fosse meu. A intenção era transmitir a Julius a mensagem clara de que *ele* estava no lugar errado. *Aqui você não tem espaço. Aqui você não tem valor.* Não queremos você aqui. Nesse caso, o "aqui" em que Julius não tinha espaço era uma lanchonete. É difícil não se indignar com situações como essa. Quero comprar todas as porções de frango da lanchonete e convidar todos que estão na rua. Talvez um dia eu faça isso. Sinto-me confuso e magoado porque imaginamos que temos poder para remover a dignidade de outra pessoa.

Isso acontece em todas as partes de nosso país e do mundo. Acontece com pessoas que estão em situação de rua quando tentam pegar água ou usar o sanitário. Acontece em outros países, quando as leis proíbem mulheres de dirigir e ir à escola. Acontece em cidades que proíbem distribuir alimentos ou oferecer cuidados médicos. Acontece quando crianças são tomadas de mães refugiadas na fronteira de nosso país. Despimos as pessoas de sua dignidade e de seu valor. Essa atitude é o oposto de *ver* as pessoas e reforçar sua dignidade.

Também acontece em nível pessoal quando julgamos aqueles que são diferentes de nós ou temos preconceitos em relação a eles. Essa realidade traz à memória quanto os fariseus eram julgadores em relação a pessoas que não se encaixavam em suas categorias espirituais limitadas. Fazemos mal às pessoas quando as julgamos, as desprezamos ou as tratamos com maldade porque não são como nós. Quando Jesus nos instruiu a amar nosso próximo, ordenou que amássemos pessoas diferentes de nós.

Por quê? Porque é fácil amar aqueles que nós conhecemos. É muito mais difícil amar desconhecidos.

Se Jesus houvesse rejeitado pessoas, teríamos uma imagem muito diferente de nosso Salvador. Jesus está pedindo que façamos algo incômodo, que amemos aqueles que mais precisam, mesmo que não sejamos como eles.

Jesus valorizou pessoas que, em sua maioria, teriam sido condenadas ou rejeitadas pelos líderes religiosos de sua época. Valorizou uma mulher que, para todos os efeitos, não estava vivendo de modo agradável a Deus; comeu com cobradores de impostos; curou e consolou uma mulher que sofria de hemorragia; falou com um homem possuído por um demônio; e bebeu água que a mulher junto ao poço lhe deu. Essas pessoas provavelmente não eram *vistas* no tempo de Jesus. O Novo Testamento relata várias ocasiões em que Jesus demonstra amor por pessoas desprezadas. Em Jesus temos um modelo de como compartilhar o amor de Deus com os marginalizados.

Acolhimento

Uma cafeteria em Atlanta deu exemplo do que significa ver e acolher pessoas. Um dia, eu estava sentado do lado de fora dessa cafeteria, e um casal em situação de rua veio em direção à porta. Quando os dois entraram, torci para que os funcionários não os mandassem embora.

Essa empresa, contudo, tinha algo diferente. Para minha surpresa, os atendentes foram gentis e até deram duas xícaras de café para o casal sem cobrar. Fiquei pasmo. Mais tarde, descobri que aquela cafeteria faz isso com frequência como forma de acolher pessoas em dificuldade.

Também li um artigo sobre uma pizzaria em Nova York que dá uma fatia de pizza para os sem-teto cada vez que um cliente compra outra fatia. Quando vejo ou fico sabendo de histórias desse tipo, faz bem ao meu coração. Pergunto-me que diferença poderíamos fazer se nós, como Jesus, víssemos e acolhêssemos as pessoas, a exemplo dessa cafeteria e dessa pizzaria. Aposto que valorizaríamos a dignidade daqueles que se sentem desprezados em nossa sociedade.

O que é dignidade?

O que é dignidade? E de onde ela vem? Em sua definição mais simples, ter dignidade é merecer honra e respeito. Creio que dignidade consiste na importância e no valor inerentes de uma pessoa. Mas o que torna algo importante?

Atribuímos importância a pequenos objetos de nossa infância ou que recebemos como herança; damos a esses itens valor sentimental medido pelo significado que têm para nós. Também atribuímos valor monetário a praticamente todos os bens materiais. O que torna um automóvel mais caro que outro? É sempre a qualidade e a tecnologia, ou também o prestígio superior de sua marca?

Valor e importância podem ser associados a bens materiais, mas quando se trata de medir aquilo que é imaterial, somente a dignidade se aplica. Percebi, contudo, que não fazemos distinção entre as duas categorias, o que resulta em cenas como a que testemunhei na lanchonete. Somos tentados a medir e associar a dignidade indevidamente à condição financeira, à aparência e aos bens de uma pessoa.

Duas coisas precisam mudar: primeiro, o tratamento que nós, como indivíduos, dispensamos a essas pessoas ao passar por elas e, segundo, o trabalho que nós, como comunidade, efetuamos juntos para resolver essas questões do ponto de vista sistêmico. O que tem de acontecer em uma cultura para que ocorra esse tipo de mudança? Como realizar a complicada tarefa de provar nosso valor uns para os outros?

Essas perguntas trazem à memória Gênesis, a criação de todas as coisas, que abrange você, eu e o homem parado na esquina. Gênesis 1.27 diz:

> Assim, Deus criou os seres humanos à sua própria imagem,
> à imagem de Deus os criou;
> homem e mulher os criou.

Deveria ser simples assim. Como homens e mulheres projetados à imagem do Projetista inteligente, temos importância e valor. No entanto, nem sempre esse foi o ideal na maioria das sociedades. Ainda sentimos os efeitos disso em nossos dias.

A caminhada para Memphis

Em 3 de março de 2018, comecei minha segunda Marcha Contra a Pobreza. Realizaria a pé o percurso do Centro de Direitos Civis e Humanos no coração de Atlanta até o Hotel Lorraine, em Memphis, Tennessee. Seriam mais de 640 quilômetros de caminhada, e planejava chegar em 4 de abril, o quinquagésimo aniversário do assassinato de Martin Luther King Jr. no Hotel Lorraine. Para ir de Atlanta a Memphis, teria de passar por regiões rurais dos estados de Georgia, Alabama, Mississippi e Tennessee. Talvez essa última frase não signifique muita coisa para você. Se é o caso, provavelmente você não se parece comigo. E, se você não se parece comigo, precisa entender que sou afro-americano. Quer dizer que, em muitos casos, eu atravessaria pequenas comunidades que, historicamente e ainda hoje, expressam preconceito contra negros.

Um dia, caminhava por uma pequena cidade no Alabama, logo depois de atravessar a divisa com a Georgia. O número crescente de bandeiras dos Confederados me levou a ter mais cautela em relação a meus arredores, tendo em conta o que essa bandeira representa para os afro-americanos.* Assim como a bandeira nazista é para os judeus um símbolo de matança e extermínio, a bandeira dos Confederados representa opressão e escravidão para os afro-americanos. Traz à lembrança de um afro-americano como eu as leis segregacionistas que levaram aos maus-tratos de milhares de negros nos Estados Unidos.

Estava no meio do percurso, com pés cansados e doloridos, e comecei a usar um bastão de caminhada para me apoiar. Naquela manhã, depois de caminhar uma ou duas horas, vi piscando na estrada à minha frente as luzes vermelhas e azuis de uma viatura da polícia. O carro parou perto de mim e das duas pessoas que caminhavam comigo e, de dentro dele, saltaram dois policiais com a mão em suas armas.

Olharam para mim e gritaram: "Recebemos denúncias de que você está caminhando para cima e para baixo na estrada e perturbando a comunidade".

Eu tremia enquanto eles se aproximavam. Era justamente esse tipo de interação que eu receava. Imaginei se haveria manchetes do tipo: "Homem negro morto a tiros pela polícia na beira da estrada". Pode parecer exagero, mas expressa quanto me senti ameaçado pelos policiais naquele instante.

Lentamente, peguei os documentos que confirmavam meu relato de que estava em uma marcha em favor dos pobres. Tinha artigos de jornal, comunicados à imprensa e todos os

---

* No século 19, os Estados Confederados eram sete estados agrários e escravagistas que se uniram em oposição ao recém-eleito presidente abolicionista Abraham Lincoln. Tinham por objetivo separar-se da união federal e manter o trabalho escravo, o que levou à Guerra Civil de 1861 a 1865. (N. da T.)

outros materiais impressos que consegui reunir para provar que não havia motivo para ter medo de mim e que minha presença como negro caminhando na beira da estrada era justificada. Não adiantaria dizer: "Sou pai, homem de fé, luto pelo bem e sou contra a violência". A única coisa que podia fazer para provar que não havia nada de errado em minha presença ali era mostrar aqueles papéis.

Alguns dias depois, ainda durante a caminhada, quando estava na frente de uma escola de ensino médio, uma picape vermelha com barro nos pneus e um adesivo da bandeira dos Confederados no para-choque passou várias vezes por mim. Por fim, a picape parou ao meu lado enquanto eu andava, e um homem com uma camiseta branca pôs a cabeça para fora da janela. Nossos olhares se cruzaram, e ele acelerou o motor várias vezes. Jamais me esquecerei daquele olhar intenso, semelhante ao que meu amigo recebeu na lanchonete em Chicago, como se eu não devesse estar ali.

Confirmando minhas suspeitas, o homem gritou para mim: "Tome cuidado, tição. Você não sabe onde se meteu". Calafrios percorreram meu corpo enquanto a picape se afastava a toda velocidade. Meu amigo e eu trocamos olhares em meio à poeira levantada pelos pneus.

Em momentos como esses, sou confrontado com a dura realidade de que algumas pessoas talvez não gostem de mim por causa da cor de minha pele. É uma ideia desumanizadora, desanimadora e extremamente difícil de assimilar. Para processar situações desse tipo, muitas vezes me pergunto qual é o motivo por trás delas. Esses episódios ocorreram com tanta frequência em minha caminhada para Memphis que um amigo branco, preocupado com minha segurança, tirou um mês inteiro de férias do trabalho para caminhar comigo.

Por que eu tive de provar para o policial que tinha bons motivos para estar à beira da estrada? E por que ele imaginou que fosse necessário eu apresentar essas provas? Por que o homem na picape me mandou tomar cuidado? Por que era tão indesejável que eu ocupasse um pedacinho da calçada junto a uma estrada rural empoeirada?

Claro que há inúmeros fatores envolvidos, entre eles alguns que não consigo explicar. O histórico dessas pessoas, aquilo que lhes foi ensinado na infância, histórias que ouviram nos noticiários, o preconceito e as mensagens subliminares em sua comunidade, e assim por diante. Não obstante o que esteja por trás de seus comportamentos, as conclusões que tiraram a meu respeito e a respeito de como deveriam me tratar foram muitos anteriores ao momento em que me viram ou ouviram meu nome. Isso é despir um ser humano de sua dignidade.

Em minha luta em favor dos pobres, e especialmente depois desses momentos, penso na época do movimento por direitos civis, em que pessoas como eu lutaram por direitos humanos básicos e para que sua dignidade fosse reconhecida por todos. Ressoa em minha mente uma declaração do dr. King: "Trevas não podem eliminar trevas; somente a luz pode fazê-lo. Ódio não pode eliminar ódio; somente o amor pode fazê-lo".[1]

Portanto, continuei a caminhar, embora minhas perguntas sobre o que levou essas pessoas a me tratarem como se eu não tivesse direito de ocupar aquele espaço e como se eu não tivesse dignidade tenham permanecido sem respostas.

Esses momentos de não pertencimento em uma lanchonete e à beira da estrada exercem grande impacto. Pior de tudo, porém, é o que acontece ao longo do tempo quando a identidade de uma pessoa é lentamente corroída.

Rótulos e seus resultados

Como encontrar seu refrigerante predileto no supermercado? Ou como identificar o chocolate do qual você gosta tanto? Rótulos lhe dizem o que está dentro da embalagem, e podem ter um efeito semelhante em pessoas. São poderosos. Aquilo que você diz a outros sobre a identidade deles exerce impacto considerável sobre quem se tornam.

Você consegue imaginar o que é entrar em um supermercado, dia após dia, e ouvir alguém dizer: "Aqui não é seu lugar"? Enquanto você ouve essas palavras, outros clientes passam tranquilamente e ninguém diz nada para eles. Como você se sentiria? É provável que o primeiro sentimento fosse de frustração. Imagino, contudo, que ao ouvir essas palavras serem repetidas com frequência, você começaria a acreditar nelas.

É fácil internalizar a forma como somos tratados, e em algum momento essa crença acabará se expressando em nosso comportamento. Aquilo que outros disseram repetidamente a seu respeito se torna realidade. Identifico-me pessoalmente com essa situação. Recebi muitos rótulos ao longo da vida e tive de superá-los.

O sem-teto desprezado na lanchonete precisa se esforçar para entender o significado de pertencimento e crer que ele tem direito de estar ali.

Quando fui tratado de forma diferente em razão da cor de minha pele, também tive de lutar contra vários desses rótulos. À beira da estrada, senti-me isolado, sozinho, deprimido e sem esperança. Por vezes, minha vontade era voltar para casa, para um lugar em que eu fosse bem-vindo. É fácil perder a convicção de pertencimento. Essa verdade se aplica não apenas ao sem-teto em uma lanchonete e ao negro à beira da estrada, mas também a você.

Estudos mostram que nossas convicções a respeito de nós mesmos determinam em grande medida aquilo que realizamos ou nos permitimos alcançar. Susan Biali escreve:

> Há pessoas maravilhosas e capazes por aí que acreditam em ideias absurdas a respeito de si mesmas que outros plantaram em sua mente e em seu coração. Acreditam nessas mentiras há tanto tempo que não as questionam e, muitas vezes, nunca as questionaram. As mentiras inevitavelmente as incapacitam — com frequência de maneira considerável.[2]

É terrível quando nós somos as pessoas que perpetuam essas crenças em outros.

Você já teve a impressão de que estava no lugar errado? Talvez seja o rapaz magricelo na academia, ou a mulher no conselho de diretores. Ou talvez, ao ouvir outros descreverem como a vida em família está maravilhosa, tenha medo do que pensarão se você compartilhar suas dificuldades. Com o tempo, se permitirmos que essas crenças sobre nós mesmos nos consumam, deixaremos de frequentar alguns círculos e nos convenceremos de que não pertencemos a eles.

Quando isso acontece, perdemos uma parte de nossa identidade. E, se não tomarmos cuidado, faremos o mesmo com outros ao nosso redor ao lhes dizer quem são e onde é o lugar deles. As pessoas não se tornam o que você quer que sejam, tornam-se o que você as incentiva a ser.

Se temos esse poder, o que escolheremos fazer com ele? Como valorizaremos a dignidade de outros?

Reconhecendo a dignidade

Conheci Charles quando ele estava cortando a grama no quintal de um vizinho nosso. Charles morava na rua, atrás de uma igreja próxima de nossa casa. Fizemos amizade, e descobri que ele tinha grande talento para trabalhos manuais. Coloquei-o em contato com pessoas que poderiam lhe ensinar marcenaria. Ele começou a criar móveis e obras de arte com paletas de madeira que encontrava no lixo.

À medida que sua criatividade se desenvolveu, conseguiu trabalhar mais, obter sustento e dedicar-se a algo de que gostava. Alguns meses depois, organizamos uma exposição de arte com os trabalhos de indivíduos em situação de pobreza. Centenas de pessoas vieram ao evento para apoiar os artistas. Subi no palco e apresentei Charles, uma das figuras principais do evento. Ele estava radiante, orgulhoso de seu trabalho e de suas realizações. Entreguei-lhe o microfone e ele contou o processo por trás de sua arte, por que ele havia construído cada peça e por que havia escolhido as frases que apareciam em algumas delas. Não só foi convidado para aquele espaço, mas também teve oportunidade de se expressar, e tudo começou com algumas perguntas e com uma pausa para ouvir sua história.

Naquela noite, centenas de pessoas valorizaram a dignidade de Charles. Nem sempre são centenas de pessoas. Por vezes, é uma pessoa só que diz: "Vejo você. Estou ouvindo. Você tem espaço aqui". Não é isso que todos nós ansiamos ouvir?

Jesus tratou as pessoas dessa forma. Conversou com a mulher junto ao poço em uma época em que interagir com samaritanos era algo desprezível. Não riu do menino que trouxe alguns peixes e pães para alimentar milhares. Curou a orelha ferida do soldado que o estava prendendo. Jesus prestou atenção até mesmo ao ladrão na cruz e lhe disse: "Você estará comigo".

Como cristãos, cremos que todos nascem com dignidade, formados com grande cuidado e amor pelo Criador. Portanto, recebemos a ordem de tratar todos de modo imparcial e com amor.

Tiago 2 diz:

> Meus irmãos, como podem afirmar que têm fé em nosso glorioso Senhor Jesus Cristo se mostram favorecimento a algumas pessoas?
>
> Se, por exemplo, alguém chegar a uma de suas reuniões vestido com roupas elegantes e usando joias caras, e também entrar um pobre com roupas sujas, e vocês derem atenção ao que está bem vestido, dizendo-lhe: "Sente-se aqui neste lugar especial", mas disserem ao pobre: "Fique em pé ali ou sente-se aqui no chão", essa discriminação não mostrará que agem como juízes guiados por motivos perversos?
>
> Ouçam, meus amados irmãos: não foi Deus que escolheu os pobres deste mundo para serem ricos na fé? Não são eles os herdeiros do reino prometido àqueles que o amam? Mas vocês desprezam os pobres! Não são os ricos que oprimem vocês e os arrastam aos tribunais? Não são eles que difamam aquele cujo nome honroso vocês carregam?
>
> Sem dúvida vocês fazem bem quando obedecem à lei do reino conforme dizem as Escrituras: "Ame seu próximo como a si mesmo".
>
> Tiago 2.1-8

Confrontando nossas crenças

Como podemos formar o hábito de ver a mesma dignidade em cada pessoa que cruza nosso caminho, seja o sem-teto sentado na chuva, seja a mulher pedindo café à sua frente na fila?

Primeiro, precisamos nos conscientizar de nossos pensamentos e analisá-los. Por que precisamos analisar nossos pensamentos a respeito das pessoas ao nosso redor? Porque alguns desses pensamentos se formaram como consequência de vermos pessoas realizarem ações que consideramos inaceitáveis. Há uma diferença entre viver de modo habitual e viver de modo intencional. Há uma diferença entre colocar em prática aquilo que sabemos que é certo e o pecado que nos faz errar o alvo de Deus. Precisamos questionar os pensamentos que temos quando estamos perto daqueles que são diferentes de nós.

Precisamos identificar nosso preconceito e pecado adquiridos e, depois, precisamos ter a ousadia de nos afastar deles, especialmente quando ocupam um lugar profundo em nosso coração.

Segundo, precisamos perguntar "por que" sete vezes. Perguntar "por que" sete vezes é uma das melhores maneiras que encontrei de chegar à origem de um pensamento ou de uma ideia. (Também desconstrói estereótipos em que cremos, se conseguirmos responder com o coração aberto e sem preconceitos.) Por exemplo:

Creio que o homem em situação de rua é preguiçoso e não quer trabalhar.

Por que você pensa dessa forma?

Porque ele não tem emprego.

Por que ele não tem emprego?

Provavelmente porque não tem os documentos necessários para conseguir emprego.

Por que ele não tem os documentos necessários?

Porque foram roubados junto com sua mochila.

Por que foram roubados?

Porque ele ficou em um albergue, onde todos estão apenas tentando sobreviver e, por isso, roubaram as coisas dele.
Por que estão tentando sobreviver?
Porque faz dias que não comem nem dormem.
Por que faz dias que não comem nem dormem?
Porque não têm a quem pedir ajuda.
Por quê?
Porque não têm o mesmo sistema de apoio e as mesmas oportunidades que eu.

Perguntar "por que" sete vezes nos ajuda a questionar a visão negativa inicial de uma situação e a transformá-la em um pensamento mais compreensivo e positivo.

Terceiro, precisamos substituir o pensamento negativo com o quadro mais abrangente e com visão mais nuançada daquilo que possa estar acontecendo. E se pegarmos a mesma lista e substituirmos nossas reações iniciais por outras que poderiam nos dispor a servir em vez de julgar e condenar?

A dignidade é simples

Um técnico de basquete de trinta e poucos anos trouxe todos os jogadores de seu time para atender à comunidade como voluntários. As pessoas fizeram filas para receber recursos de diversos tipos. Entre elas, havia um homem sem camisa. Esperar sem camisa em uma fila para receber alimentos e roupas não é para os orgulhosos; para muitos, pode parecer difícil ou vergonhoso.

O técnico viu o homem e pediu a um dos jogadores que fosse até a *van* pegar uma camiseta. O garoto correu até a *van* e, enquanto isso, o técnico tirou a própria camisa e a entregou ao homem.

Mais tarde, quando estávamos sentados conversando com esse mesmo homem, ele disse:

— Cara, foi muito legal o que ele fez. — Seus olhos começaram a se encher de lágrimas. — Ontem à noite eu fui assaltado e eles arrancaram minha camisa.

Os garotos que se voluntariaram junto com o técnico não voltaram para casa com uma fórmula exata para valorizar a dignidade de outros, mas voltaram com a percepção de que é algo que pode acontecer em qualquer lugar e a qualquer momento. Só é preciso estar disponível.

Não há um conjunto de regras para valorizar a dignidade de outros. Antes, trata-se de um desejo instintivo de tornar o mundo um lugar melhor, mesmo que signifique tirar a própria camisa para entregá-la a alguém que não tem. É saber que, apesar da pobreza interior que talvez tenhamos, Deus ainda nos considera dignos o suficiente de receber Jesus, a dádiva suprema.

A dignidade é poderosa. É assustador que muitas pessoas tenham perdido a vida sem saber que tinham importância e valor. Há tantos que nunca ouviram as palavras "amo você" e "você é importante".

Como discípulos que desejam imitar Jesus, não podemos passar mais um dia sequer sem dizer para os que não são vistos, nem ouvidos, nem valorizados que eles são amados, vistos e valorizados.

9
Criando comunidades

Gosto muito de filmes. Sempre foram minha fuga. O jeito como contam histórias e me conduzem em uma jornada é uma inspiração. Assisti a um filme na Netflix chamado *Sonhos imperiais*. Conta a história de um jovem afro-americano que acabou de sair da prisão e está decidido a ter um estilo de vida diferente daquele que o levou a ser preso. Ele reencontra seu filho e sua família em Los Angeles, mas sofre para mudar de vida ao regressar ao mesmo ambiente.

É uma história que ficou registrada em minha memória, O rapaz do filme luta com unhas e dentes para viver de forma diferente, a ponto de ir morar em seu carro para não se envolver com a gangue da qual seus familiares fazem parte. Como ex-presidiário, tem dificuldade de encontrar emprego, e é informado de que não poderá colocar sua documentação em dia enquanto não pagar a pensão alimentícia do filho. No entanto, não tem como conseguir trabalho sem documentos. O sistema dificulta seu acesso a oportunidades que, para nós, são corriqueiras.

Essa história me faz imaginar como seria se esse mesmo rapaz tivesse voltado para uma comunidade abastada. O que seria diferente se ele conhecesse alguém que pudesse ajudá-lo a conseguir um emprego? Ou se tivesse um mentor com aparência semelhante à dele que tivesse conseguido construir uma nova vida? Ele mal sabia que era possível escolher uma vida diferente daquela que tinha levado em sua infância e adolescência. Não tinha acesso a um lugar seguro ou a um grupo de pessoas que desejassem uma vida melhor para ele. Poderia ter acontecido comigo. Quando era jovem, participei de atividades de uma gangue e fui parar na delegacia. Felizmente, as acusações foram retiradas porque minha mãe intercedeu por mim junto ao dono da loja que eu havia arrombado. Não é difícil imaginar o que teria acontecido se eu tivesse sido sentenciado. Hoje, minha vida seria muito diferente.

Na noite que passei na delegacia, havia um homem de meia-idade na mesma cela que eu. Ele disse: "Por que você está jogando sua vida fora? Saia daqui e faça algo de útil. Volte para a igreja". Suas palavras me levaram a fazer uma daquelas orações desesperadas: "Deus, se o Senhor fizer que as acusações sejam retiradas, prometo que vou mudar de vida". Não estou dizendo que orações desse tipo sempre funcionam, mas creio que Deus tem um lugar especial em seu coração para as súplicas que fazemos em momentos de desespero.

Depois que as acusações foram retiradas, tomei a decisão de mudar a trajetória de minha vida. Parei de ir a festas e andar com aquele grupo de amigos. Fiz até algumas mudanças de aparência para marcar esse recomeço. Voltei para a igreja e cerquei-me de pessoas que me acolheram em sua família e me ajudaram a criar uma nova versão de mim mesmo. Encontrei nessa comunidade o lar que estava procurando. Foi uma mudança radical, e creio que não teria sido possível sem uma comunidade forte ao meu redor.

Essa transformação em minha trajetória me convenceu de que não é possível fazer uma mudança radical de estilo de vida sem uma comunidade. Deus nos criou para vivermos em comunidade uns com os outros, e não podemos viver como se tivéssemos sido criados para existir em isolamento.

Encontrando uma comunidade

Desde o início do mundo, vivemos em tribos e comunidades. Desde a Torre de Babel em Gênesis, em que todos foram separados por causa das diferentes línguas, até o mundo dividido em que vivemos hoje, Deus nos criou para estar e existir em comunidades, e não em isolamento.

Descobri que existem três maneiras distintas de existir em comunidade: podemos nascer nela, encontrá-la ou criá-la.

A comunidade em que nascemos. Como afro-americano, tive a oportunidade de participar de uma comunidade bela, inspiradora e encorajadora. Quando um de nós alcança sucesso, todos alcançam sucesso. Temos vínculos entre nós, pois somos um povo que precisou superar muitos obstáculos e muita oposição. Essa é a comunidade em que nasci, e tenho orgulho de fazer parte dela.

Na infância, lembro-me de que meu avô, Carlton York, contava como era frequentar uma escola segregada e ter de usar um bebedouro separado, com uma placa que dizia "negros". Essa comunidade me moldou. Sou quem eu sou por causa dessas partes de minha história.

Em um artigo para a revista *Smithsonian* sobre cidades nos Estados Unidos e segregação racial, Katie Nodjimbadem observa:

> Em *The Color of the Law: A Forgotten History of How our Government Segregated America* [A cor da lei: Uma história esquecida de como nosso governo segregou os Estados Unidos], Richard Rothstein, pesquisador do Economic Policy Institute, procura derrubar a pressuposição de que o estado da organização racial das cidades em nosso país é simplesmente resultado de preconceitos pessoais. Rothstein esclarece um século de políticas que formaram as cidades segregadas nos Estados Unidos de hoje.[1]

Logo depois da Grande Depressão, foi introduzida uma prática chamada *redlining* que dividiu cidades dos Estados Unidos em grupos distintos com base em características demográficas das comunidades. Essa prática negava sistematicamente serviços a habitantes de determinadas regiões. Na maioria das vezes, essas regiões eram definidas por raça. Bancos usavam esses mapas para negar empréstimos habitacionais para afro-americanos, e algumas empresas usavam-no até para negar seguros ou planos de saúde. Discriminação pelo sistema de *redlining* contra minorias e seus efeitos negativos ainda exercem impacto sobre as comunidades no presente. O Federal Reserve Bank em Chicago analisou os dados nesses "mapas com linhas vermelhas" e descobriu que, cinquenta anos depois da segregação racial, o acesso a casa própria, os valores de imóveis e a avaliação de risco de crédito ainda refletem os efeitos dessa prática. Embora os pesquisadores não possam afirmar que os mapas foram os únicos responsáveis pela criação dessa desigualdade, é evidente que tiveram um papel em determiná-las.

Essa prática ainda afeta a comunidade em que nasci.

No entanto, nossa vizinhança ou cidade não é a única comunidade em que nascemos. Muitos de nós nascemos em lares problemáticos ou fragmentados. Talvez tenhamos nascido em afluência ou em pobreza, em comunidades diversas ou homogêneas. Nascemos com antecedentes religiosos e dentro de sistemas de crenças, quer concordemos com elas quer não ao nos tornarmos adultos.

Na opinião do sociólogo George Herbert Meade, a mente e a identidade são desenvolvidas por meio de um processo social.[2] De acordo com Mead, a maneira como as pessoas veem a si mesmas se baseia, em grande medida, em suas interações com outros.

Naturalmente, precisamos perguntar: Que efeitos a comunidade em que nasci tem em minha vida? Como isso influencia o que desejo para meu futuro? *A comunidade que encontramos.* Além da comunidade em que nascemos, existe a comunidade que encontramos. No ensino médio e na faculdade, encontrei minha comunidade em festas e amigos membros de gangues. Com vinte e poucos anos, quando mudei de rumo e resolvi terminar a faculdade, encontrei uma parcela maior de minha comunidade na igreja. Minha transição de volta para a igreja não aconteceu dentro do que talvez fosse esperado. Não deixei de vestir calças largas e de fumar maconha em uma semana para me tornar um cristão santo de terno e gravata na semana seguinte.

Um domingo, pouco depois me mudar de volta para Atlanta após ter me metido em uma encrenca, sentei-me no banco dos fundos da igreja. Cético em relação à igreja, mas desesperado pela companhia de outras pessoas, ouvi o pastor explicar que Jesus era amigo de pecadores. Identifiquei-me com esse grupo de imediato e ri. Continuei a ouvir, enquanto o pastor dava exemplos de pessoas que Jesus acolheu: adúlteros, cobradores de impostos e membros de diferentes grupos culturais odiados pelos compatriotas de Jesus. Decidi manter a mente aberta.

Enquanto ouvia, pensei: "Uau, que bacana. O pastor vai lá na frente e tem a oportunidade de falar para todas essas pessoas e influenciá-las. Será que algum dia vou ser capaz de fazer a mesma coisa?". Depois do culto, apresentei-me para o pastor. Quando ele perguntou a meu respeito, falei das recitações de poesia que eu fazia na época. Eram uma forma de me expressar e de descrever diferentes situações que enfrentava. O pastor pediu meu número de telefone e nos despedimos.

Alguns meses depois, perto do final de janeiro, o pastor me ligou e perguntou se eu poderia preparar uma recitação de três minutos para o mês da história afro-americana. Extremamente empolgado, editei uma poesia na qual estava trabalhando, chamada "Recapitulação", que destacava a lembrança de nossos antepassados negros.

A igreja pediu que eu apresentasse a recitação em três cultos dos quais participaram, no total, dez mil pessoas. Foi a primeira vez que falei diante de um público tão grande. Lembro-me de esfregar as palmas suadas nos meus *jeans* pretos enquanto respirava de modo rítmico pouco antes de me levantar e falar diante do público. Mal me recordo da recitação; lembro-me apenas de que fui aplaudido de pé em cada um dos três cultos. Mais importante que isso, porém, recebi aceitação. Senti que estava em casa. Fazia parte da família de Deus.

Esta é a poesia:

A palavra recapitulação é anterior
A lugares no fundo do ônibus,
A ruas e craque,
A camisetas e bonés.
A palavra recapitulação é como as velhas sepulturas,
Como os velhos escravos que abriram caminho para nós,
Que, dia a dia, trabalharam com afinco por nós.
Estou dizendo que foi preciso alguém,
Que precisou de alguém, que precisou de alguém,
Para estarmos aqui hoje,
Para que eu, negro, esteja aqui com orgulho.
Recapitulem comigo,
Recapitulem e ouçam,
Escravos de outrora,

As palavras de tempos idos.
"Isaque, o sinhô mandô catá todo o argodão do campo, que o inverno já vai chegá."
"Isaque!"
"Acorda, Isaque!"
"Tô ouvindo, Maria. Só não dá pra levantá, que o pescoço e as costa é uma dor só!"
O certo seria que meus antepassados tivessem apês como os na MTV,
Telas planas e uma canção na estação de rádio
Que falasse de seu pescoço e suas costas,
Das surras que levavam e do trabalho que realizavam
Só para que chegássemos aqui, e agora que estamos aqui
Pensamos em recapitulação e nos lembramos de camisetas e bonés.
Deixemos camisetas e bonés no passado.
Em vez disso, recapitulemos
Malcolm X e Martin Luther King,
Levantem a voz e cantem, ou recordem-se de Rosa Parks
Dizendo: "Estou cansada, não vou ceder meu lugar!".
Ou todos aqueles grandes
Inventores negros que todos se esquecem de mencionar,
Que não recebem reconhecimento, mas que provavelmente
   inventaram a cadeira em que sentamos ou a cama em que
   dormimos.
Tipo assim,
Para mim
A recapitulação é negra
Porque o negro é ousado,
O negro é lindo,
O negro é inteligente,
O negro é tudo.
E foi de cor negra que meu olho ficou depois de uma briga.

Não quero desrespeitar meus irmãos caucasianos, hispânicos e
asiáticos,
Gosto de todos vocês,
Mas tomem nota de que os negros têm uma lista de oração,
uma lista de auxílio, uma vala de quatrocentos anos para
escravos, uma maldição de Satanás.
Milhões de mães negras cujos bebês não têm pais, incontáveis
listas de espera para ter onde morar e outros tantos negros
na lista de criminosos presos, lista interminável,
Interminável.
Lembrem-se da antiga canção de recapitulação:
"Seremos vencedores".
Em certo sentido,
A liberdade terá ressoado
Se ajudarmos uns aos outros em vez de competirmos.
Eu disse: "Em certo sentido, a liberdade terá ressoado se
ajudarmos uns aos outros em vez de competirmos".
A verdade é que,
Para mim, recapitulação é ser honesto comigo mesmo e nunca
me esquecer de onde vim, e de que não tenho preço, e isso é
recapitulação![3]

A princípio, tive uma sensação estranha ao ver todos em pé, batendo palmas para alguém como eu. Foi minha primeira tentativa de formar um vínculo com minha história e, ao mesmo tempo, com minha comunidade. Poucos meses antes, passava as noites de sábado drogado e bêbado, e agora estava no palco usando a recitação para compartilhar minhas dores e lutas mais profundas. Aquelas pessoas se levantaram e me aceitaram assim mesmo. A comunidade acolheu quem eu era, minhas lutas, minhas origens. Essa experiência transformou minha vida.

Depois que desci do palco, ouvi comentários como: "Você tem futuro. Recebeu um dom extraordinário de comunicação. Precisa compartilhar esse dom com outros jovens". E, pela primeira vez em minha vida, recebi de minha comunidade apoio e validação por minhas aptidões. Disseram-me que eu tinha algo de valor a oferecer e que minha dor podia ser usada de forma positiva para alcançar pessoas. De repente, a comunidade que encontrei me ajudou a descobrir meu propósito. Membros dessa comunidade me ajudaram a achar emprego e a terminar o ensino superior. Um mentor me emprestou sua picape durante um ano inteiro para eu ir e voltar da faculdade. Essas pessoas mostraram que valia a pena investir em mim. Ao me rodear delas, comecei a acreditar nelas.

Creio que temos a responsabilidade de participar de comunidades e contribuir com elas. As boas comunidades que encontramos são de grande ajuda para nos impelir rumo àquilo que desejamos ser. Claro que algumas comunidades têm o efeito oposto. Cabe a nós encontrar e participar de comunidades que nos ajudem a progredir.

As comunidades que criamos. Da primeira vez que me foi pedido para falar sobre comunidades, tive pensamentos conflitantes. Durante boa parte da vida, senti que não pertencia a lugar nenhum. *Desajustado* é um termo que uso com frequência. Na infância e adolescência praticava diversos esportes. Era algo que fazíamos na comunidade em que cresci. No entanto, só comecei a contar para outros que eu escrevia poesia quando era bem mais velho. Poesias eram consideradas algo feminino (o último adjetivo do mundo que um garoto quer ouvir de seus amigos). Eu passava um bocado de tempo nas ruas, pensando nos conceitos mais amplos do mundo, mas não dividia essas ideias por medo de parecer esquisito.

Essa sensação persistiu em quase tudo o que fiz. A igreja era um lugar seguro, mas algumas de minhas ideias pareciam um tanto radicais para a maioria dos meios em que eu circulava. Em vários ambientes, sentia como se não me encaixasse na igreja tradicional, e ouvi de pessoas da igreja que isso se devia ao fato de estar realizando um ministério de uma forma que não correspondia àquilo que elas estavam fazendo. Abri uma ONG e comecei a criar uma comunidade de desajustados. Enquanto não encontramos pessoas semelhantes a nós, temos medo de ser nós mesmos. Usamos o fato de sermos desajustados para começar relacionamentos com pessoas que também são desajustadas. Só depois de sentir essa dor profundamente, somos capazes de entender alguém excluído da sociedade. É dessa maneira que formo ligações com os pobres, com os que não têm voz e com os que se sentem socialmente isolados. Sei como é estar sozinho, e imagino que você também saiba. Imagino que você tenha mais coisas em comum do que pensa com alguém em situação de rua.

Meu amigo Dave Gibbons escreveu um livro chamado *Xelotes*,[4] em que fala de como nossa dor muitas vezes é considerada uma anomalia quando, na verdade, pode ser usada como nosso superpoder. Esse conceito é proveitoso quando estamos formando comunidades com pessoas que, à primeira vista, talvez não pareçam ter muita coisa em comum conosco. Aceitar nossa dor e aquilo que nos motiva a criar algo belo no mundo se torna nosso guia para formarmos ligações com as pessoas à nossa volta.

Creio que Jesus também era um desajustado. Encontramos vários relatos em que ele vai à sinagoga ou ao templo, vira mesas e desafia o modo de pensar amplamente aceito. Era considerado extremista, pois andava com pecadores, e não com líderes religiosos. Interagia com pessoas que, em muitos aspectos, se pareciam com você e comigo. Essa era a prática corporificada de toda a sua vida.

No lançamento de nosso documentário *Voiceless*, fui para uma cidade pequena próxima de uma comunidade menonita. Quando terminamos de apresentar o documentário, caminhamos pela comunidade. Parecia a cidadezinha da série *Little House on the Prairie* [Uma casinha na pradaria]. Dawn, que morava na cidade, explicou que ali gente de todo tipo era aceita. Disse:

— Se encontramos alguém em situação de rua, convidamos essa pessoa para jantar, cedemos um espaço para ela, providenciamos roupas, o que tivermos para dividir.

— Puxa — alguém de nosso grupo comentou —, é uma ajuda e tanto. Por que vocês fazem isso?

A resposta de Dawn foi simples:

— Porque é o que Jesus faria.

Evidentemente, ela tem razão. Nós cristãos citamos versículos bíblicos como Hebreus 2.10: "Deus, para quem e por meio de quem todas as coisas foram criadas, escolheu levar muitos filhos à glória". Do ponto de vista teológico, afirmamos nossa crença de que tudo vem de Deus e pertence a Deus, mas me pergunto se não vivemos de forma um tanto diferente.

E se abordássemos a comunidade ao nosso redor sem apego por nossos bens? Por que viver como Jesus ainda parece algo tão radical?

Mês passado, conversei com um amigo líder de uma ONG sobre o fato de que existem camas suficientes em casas em todos os Estados Unidos para todos em nossas comunidades. Quando as pessoas ouvem esse dado, costumam expressar surpresa: "Não posso hospedar moradores de rua em minha casa. E se eles roubarem alguma coisa?". No entanto, usamos *Airbnb* e deixamos desconhecidos se hospedarem em nossas casas, e nos hospedamos na casa de desconhecidos. Por que parece tão estranho quando o objetivo é oferecer ajuda?

Em oposição a nossos medos e dúvidas, quem sabe seria melhor perguntar, em seguida: Mas será que, ainda assim, é o que Jesus faria? Tenho a impressão de que a resposta é sim, mas essa é uma conversa que você precisa ter com ele.

Sei por experiência própria que uma comunidade tem poder de mudar a trajetória de uma vida para melhor ou para pior. E, no entanto, tenho certeza de que nenhuma mudança para melhor pode ser feita por uma pessoa permanentemente isolada. Não fomos criados para viver dessa forma. O dr. King disse: "Um indivíduo não começa a viver enquanto não se eleva acima dos estreitos limites de seus interesses individualistas e passa a viver para os interesses mais amplos de toda a humanidade".[5]

Como podemos capacitar aqueles que se encontram em situação de rua ou de pobreza para que façam essa mudança? A resposta remete ao conceito de aldeia global. É possível que Jesus tivesse esse conceito, pois, desde o princípio, nos vê como uma só família criada.

Quanto à formação de comunidades desse tipo, duas coisas são indubitáveis: (1) precisamos ser pacientes, e (2) precisamos estar dispostos a ser feridos.

Seja paciente com as pessoas em sua comunidade. Na maioria dos casos, elas vêm de outras comunidades que fazem as mesmas coisas todos os dias há anos. Não se pode esperar que mudem em um fim de semana. Padrões de conduta levam tempo para ser alterados, e grandes mudanças de vida são complexas. No livro *Love Does* [O amor faz], Bob Goff diz: "Eu costumava querer consertar as pessoas, mas agora só quero estar com elas".[6]

E não tem problema ser ferido. Nunca somos isentos desse tipo de sofrimento e, certamente, não quando estamos tentando cultivar comunidades profundas que mudam as crenças das pessoas a respeito daquilo que podem fazer da vida. Claro que fui ferido ao realizar esse trabalho. Mas fui ainda mais ferido por pessoas da igreja. Somos todos humanos.

No fim das contas, criar comunidades é simples. Quando amamos as pessoas, nós as ajudamos a encontrar alimento e abrigo e, então, as capacitamos para que sejam tudo o que têm potencial para ser. Temos poder de escolher que comunidades aceitaremos e que comunidades criaremos.

10
Criando ritmos constantes

As pessoas sempre são mais generosas na época das festas. Em meu trabalho com a ONG e na igreja, vejo muito desse espírito cíclico de generosidade. Todas as organizações assistenciais sabem que é no último trimestre que devem pedir doações maiores, realizar eventos para arrecadar fundos e entrar em contato com contribuidores.

Alguns anos atrás, na época das festas, a coordenadora de um grupo de uma igreja local entrou em contato comigo e, com imensa empolgação, informou:

— Queremos arrecadar fundos para comprar brinquedos para as crianças que não vão receber presentes de Natal este ano!

— Certo — eu disse. — Algumas crianças da comunidade estão...

— Excelente! — ela interrompeu. — Vamos refletir e orar sobre quais brinquedos doar e vamos começar a arrecadar o dinheiro.

— Tudo bem — respondi.

Algumas semanas depois, recebi um *e-mail* desse grupo informando que os participantes haviam arrecadado os recursos necessários para o projeto e que tinham resolvido comprar bicicletas para cinquenta crianças pobres. Além disso, gostariam de organizar uma festa de entrega para as crianças que seriam contempladas.

Ao ler o *e-mail*, baixei a cabeça e suspirei. Embora seu

desejo intenso de ajudar fosse bom e bonito, havia diversas questões a considerar.

Não tinham ideia de que várias crianças da comunidade não sabiam andar de bicicleta. Muitos dos pais estavam presos em razão daquilo que Michelle Alexander chamou de Nova Lei de Segregação (com referência ao encarceramento em massa). Muitas dessas crianças estavam sendo criadas por membros da família que não tinham tempo nem recursos para ensiná-las a andar de bicicleta. Será que dar cinquenta bicicletas novas para essas crianças era mesmo uma forma de cultivar mudança para melhor e crescimento na comunidade?

Ao mesmo tempo, dava para sentir a empolgação desse grupo da igreja, que pensava estar fazendo algo muito legal. Posso imaginar a líder indo à frente todos os domingos no mês anterior, durante o momento de avisos, para dizer à igreja: "Estamos arrecadando fundos para dar bicicletas a crianças carentes. Vamos completar esse quadro e ver se alcançamos nosso alvo de cinquenta bicicletas. Apadrinhe uma criança hoje!".

Muitos de nós falhamos não no desejo de querer fazer algo legal por outra pessoa, mas na mentalidade por trás dessa iniciativa, aquilo que chamo de mentalidade de listas. Essa forma de pensar se desenvolveu ao longo de anos de prática daquilo que sempre vimos outros fazerem: mais arrecadações de alimentos, mais sacolas de doces e brinquedos, mais doações de roupas.

As intenções são boas, mas iniciativas desse tipo muitas vezes não são úteis para as pessoas que deveriam ser atendidas. Em vez disso, ajudam-nos a remover mais um item da lista de "coisas que bons cristãos fazem". Jesus disse que devemos servir aos pobres; posso riscar esse item da lista, pois doei uma bicicleta.

Falta a profundidade que poderia criar mudanças duradouras em uma comunidade. Em lugar dessa profundidade, colocamos algo que nos faz sentir bem e que chama a atenção nos avisos de domingo de manhã.

Quando não buscamos nem criamos profundidade nessas interações, perpetuamos um ciclo que torna a transformação ainda mais difícil. Essa dinâmica forma relacionamentos doentios, em que uma parte diz à outra o que ela quer ou do que ela precisa. Não há capacitação nem dignidade, e não se formam relacionamentos de confiança.

A mentalidade de listas não tem condições de comunicar a mensagem mais importante de Jesus: você é amado, é valorizado, é visto. Em vez disso, comunica: você carece de muitas coisas; eu tenho mais que você; aqui está algo de que você não precisa ou que não sabe como usar.

Qual é a alternativa?

No caso em questão, teria sido ótimo os membros desse grupo da igreja perguntarem o que falta na comunidade, ou passarem tempo com as crianças antes de comprarem alguma coisa para elas. Como podemos mostrar a essas crianças que são amadas e vistas? Com que precisamos nos comprometer para que isso aconteça? É necessário ter disposição de aprender e de ouvir os membros da comunidade, em vez de vir de fora com nossas próprias ideias.

Como no desenvolvimento de qualquer outro relacionamento saudável, leva tempo, exige compromisso e disposição de estar presente repetidamente. Em vez de abordar essas interações com listas e eventos, precisamos mudar nossa mentalidade a fim de cultivar relacionamentos por meio de ritmos. O impacto sustentável acontece quando cultivamos ritmos constantes.

Quando começamos a enxergar que estamos inextricavelmente ligados a outros, a ponto de a dor deles nos causar sofrimento, a abordagem adotada pela mentalidade de evento muda. Ver indivíduos em situação de pobreza como irmãos e amigos e não como itens em uma lista é fundamental para essa jornada.

O universo rítmico

Gênesis 1.1-2 diz: "No princípio, Deus criou os céus e a terra. A terra era sem forma e vazia, a escuridão cobria as águas profundas, e o Espírito de Deus se movia sobre a superfície das águas". Das trevas Deus criou luz e escuridão, dia e noite, sol e lua. Cada coisa criada pertencia a um tempo e a um lugar e tinha um ritmo específico. De modo semelhante, Deus criou ritmos, repetições e sistemas como parte importante e saudável de nossa vida.

Eclesiastes 3.1 também menciona ritmos e estações: "Há um momento certo para tudo, um tempo para cada atividade debaixo do céu". Até mesmo Jesus tinha ritmos desse tipo. Falava para grandes multidões, descansava, orava e passava tempo com seus discípulos.

Se aqueles que sofrem injustiça e desigualdade são importantes para nós, como os transformaremos em um ritmo em nossa vida? Que ritmos já temos?

Em minha vida, os ritmos são a razão de quase tudo o que realizo. A cada doze meses, crio um "plano de crescimento". Nele, planejo o que quero aprender, como quero crescer, onde quero servir e o que quero realizar nos próximos doze meses. Olho para o plano e, então, identifico que ritmos preciso integrar à minha vida diária (ou que ritmos preciso remover) a fim de viabilizar esses objetivos.

Que ritmos você tem em sua vida? Levantar-se, tomar café, ir para o trabalho, voltar para casa, assistir TV, passar tempo com a família? Você joga bola nas noites de terça-feira? Tem uma noite da semana para sair com seu cônjuge? Acrescentar ritmos a uma vida já repleta de atividades parece difícil, mas nossos ritmos refletem nossos valores mais fundamentais. Se alguma coisa é importante, criamos tempo para ela. Esses ritmos não podem ser acrescentados em razão de sentimentos de culpa ou por meio de modificação de comportamento, mas somente por meio de um coração transformado. Quando somos motivados por culpa, voltamos à mentalidade de listas e corremos o risco de nos tornar amargurados. Em vez disso, devemos incorporar esses ritmos a um estilo de vida de serviço.

Há certo equilíbrio que precisamos encontrar para nosso crescimento interior e exterior. Muitos de nós reconhecemos os ritmos necessários para nosso crescimento pessoal, o que é importante. Com frequência, porém, não nos atentamos para como o serviço exterior nos transforma. Ao focalizar continuamente o autocuidado, a autoajuda e o crescimento pessoal, podemos facilmente voltar todo o foco para nós mesmos e nos tornar egocêntricos. A fim de voltar o foco para fora, precisamos de ritmos exteriores de serviço em que nos concentremos inteiramente em outros. Muitos ativistas e líderes de comunidades, em contrapartida, têm a tendência oposta. Focalizamos tanto o serviço exterior que deixamos de cuidar de nossa vida pessoal e familiar, e o resultado é esgotamento total.

Ritmos são a maneira mais fácil de encontrar o equilíbrio. Buscar continuamente esse equilíbrio interior e exterior renova nossas energias e nos ajuda a caminhar em direção a uma vida espiritual saudável.

Um estilo de vida de serviço

Talvez precisemos redefinir o significado de *serviço*. Certo dia, nas férias, minha filha Zion entrou no meu quarto e disse:

— Pai, quero ir trabalhar com você amanhã.

Ela sabe que coordeno um centro comunitário. Curioso, perguntei:

— Você não prefere ficar em casa assistindo desenhos animados, brincando lá fora ou jogando *video games*? Fazendo algo divertido?

— Ir trabalhar com você é divertido para mim. Ajudar outras pessoas é divertido — ela respondeu.

Sua percepção me surpreendeu. Em seguida, fiquei surpreso com minha surpresa diante de sua declaração. É ótimo pensar que minha filha considera divertido arrumar sacolas de alimentos, organizar guarda-roupas e limpar o ônibus onde funciona uma barbearia. Talvez seja porque ela sabe o que significa uma família não ter comida, ou uma criança de sua idade não ter roupas. Qualquer que seja o caso, é maravilhoso ver como Deus tem permitido que ela coloque sua fé em prática de modo ativo e constante. Ela só tem dez anos; estou ansioso para ver o que ela fará quando for mais velha.

No entanto, tenho algumas perguntas. Por que não consideramos que servir, passar tempo com outras pessoas e ajudá-las é divertido? Como podemos redefinir essas rotinas e atividades para que tenham espaço em nossa vida e não sejam consideradas um peso?

Precisamos parar de colocar tanta pressão nessas interações, como se fossem os momentos supremos e mais significativos de nossa vida. Podemos interagir com essas pessoas sempre que quisermos. Ao parar tempo suficiente para conversar, conseguimos enxergar o valor de outros, valor que nos treinamos para não perceber. Na maioria dos casos, quando transformamos o serviço em rotina, as pessoas com as quais temos contato nos dão muito mais do que poderíamos imaginar.

Algumas semanas atrás, quando uma voluntária voltou ao centro comunitário depois de muito tempo, perguntei por onde tinha andado. Ela me falou que tinha ficado soterrada em atividades, correndo de um lado para o outro tentando administrar seu trabalho e sua vida pessoal. Tinha a sensação de que havia colidido com um muro. Toda essa correria havia esgotado suas forças e, por isso, ela parou tudo e resolveu servir a outros e passar tempo com eles.

Naquele dia, estávamos distribuindo alimentos, e observei por alguns minutos enquanto a voluntária conversava com uma senhora. Em seguida, ela foi ajudar outra pessoa, e não vi qual foi o desfecho da conversa. Algumas horas depois, a voluntária me falou de sua interação com a senhora. Tinham conversado sobre fé, e a senhora tinha orado pela voluntária.

A voluntária, que tinha emprego fixo, uma família que a apoiava e um carro confortável, se desmanchou em lágrimas quando nos falou quanto foi importante alguém tê-la visto e orado por ela. Nenhuma das coisas externas que ela trazia consigo determinavam sua verdadeira riqueza. Tenho sorte de poder testemunhar momentos como esse todos os dias. Relacionamentos verdadeiros são cultivados por pessoas dispostas a estar presentes.

Conversas desse tipo não costumam acontecer sem que nos esforcemos para conhecer a outra pessoa. Ninguém compartilha toda a sua história de vida, suas dores e seus pesos da primeira vez que encontra alguém. Leva tempo para desenvolver confiança. Relacionamento e mudanças exigem constância e dependência, que podem levar a uma verdadeira transformação cíclica.

Um de cada vez

Quando desenvolvemos constância e sonhamos em mudar o ciclo, começamos a crer que somos responsáveis por uma transformação de grandes proporções. Sinto esse peso com frequência. Existimos em uma sociedade movida por dados, em que números importam. Quem tem mais seguidores nas redes sociais? Quanto você ganha? Quantas bicicletas distribuímos? Queremos saber os números, e queremos que sejam mais altos.

Em 2016, caminhei de Atlanta para Washington, DC, e, em 2018, de Atlanta para Memphis. A primeira caminhada levou mais de dois meses, e a segunda, um mês. Foram campanhas radicais, que exigiram de mim a aquisição de ritmos completamente diferentes a fim de percorrer centenas de quilômetros. Teria sido fácil voltar a atenção para os noticiários nacionais em que eu estava aparecendo. No entanto, não foi isso que me deu forças para prosseguir ao ter de andar debaixo de sol e chuva e atravessar cidades ameaçadoras. O que me ajudou a ir em frente nessas horas foi concentrar-me em uma pessoa de cada vez. Posso falar com alguém hoje? Posso ajudar a transformar a vida de alguém hoje? Contribuí para que alguém tomasse providências para sair de uma situação difícil?

Concentrar-me em uma pessoa de cada vez me ajuda a manter o foco. Se algo traz mudança ou auxílio para a vida de uma pessoa, vale a pena. Essa foi a abordagem constante de Jesus: para a mulher junto ao poço, para o homem paralítico, para a menina que estava morrendo. Quando Jesus curou o cego, instruiu-o a não contar para ninguém o que havia acontecido, mas o homem espalhou a notícia de sua transformação para a cidade inteira. Muitas vezes, não é uma questão de resolver os problemas do mundo, mas de mudar o mundo da pessoa que está diante de nós. As coisas constantes que fazemos ao estarmos presentes diariamente podem transformar a vida das pessoas ao nosso redor se estivermos disponíveis. Há diferentes maneiras de ministrar às pessoas e ajudá-las. Jesus ouviu os outros, alimentou multidões, chorou com duas irmãs, acalmou situações caóticas.

Logo no início de nossa ONG, Marie, uma mulher na casa dos sessenta anos, trabalhava conosco semanalmente como voluntária. Era uma das pessoas mais animadas que conheço e tinha mais energia que eu. Vinha sempre para ajudar e mencionava com frequência um projeto grande no qual estava trabalhando. Recusava-se a dizer, porém, o que era esse projeto misterioso. Depois de alguns meses, quando ela chegou para trabalhar, veio direto até onde eu estava e disse:

— Vai dar certo!

— O que vai dar certo? — perguntei.

— Meu projeto. Vou começar a pagar toda a faculdade para alguém — ela respondeu com um sorriso enorme no rosto.

— Como assim? — perguntei, surpreso.

— Sempre que sobrava um dinheiro, eu separava para isso. Cinco dólares aqui, dez dólares ali. Faz quarenta anos que estou economizando. Como não tenho filhos, criei um investimento separado para isso e deixei render juros.

Marie havia feito amizade com um rapaz que não tinha como pagar a faculdade, e ela entendeu que era para ele que ela havia economizado o valor. Esse é um exemplo do impacto que podemos exercer sobre a vida de uma pessoa de cada vez, e também mostra como, ao longo do tempo, pequenas coisas fazem uma grande diferença.

Se outros tivessem de resumir sua vida em uma frase, o que diriam a seu respeito? Onde você gasta seus recursos? Que tipo de legado deixará? A que você se dedicaria inteiramente se soubesse que tem apenas um mês de vida? Está feliz com os ritmos que criou para si?

Deus nos deu uma vida só. É mais curta do que imaginamos. Muitos de nós pensamos em fazer mudanças quando chegarmos a determinado estágio da vida, mas, na realidade, tudo o que temos é o acúmulo daquilo que fazemos a cada dia. Seus ritmos diários e práticas constantes determinam o tipo de vida que você terá e o impacto que exercerá. Pense em seus objetivos, seja honesto consigo a respeito de como alcançará esses alvos.

Jesus disse que o serviço é o caminho para a grandeza: "Quem quiser ser o líder entre vocês, que seja servo" (Mt 20.26).

Conclusão
Cada um é importante

Na primeira noite que fiquei debaixo do viaduto, Robert e eu conversamos sobre o motivo de eu ter resolvido passar aquela semana morando na rua. Ele comentou:

— Muita gente vem aqui e traz coisas como sabonete e roupas. Mas por que você resolveu vir aqui e ficar?

— Queria saber como era pra valer — respondi. — Como posso ajudar se nunca tive a experiência de dormir na rua, no chão frio, ou em uma tenda debaixo de chuva torrencial?

Depois de algumas horas de conversa, ele me contou sua história e falou do que o havia levado à presente situação. Morava nas ruas desde que era adolescente. Sua mãe era viciada em *crack*, e chegou a dar essa droga para Robert no começo da adolescência dele. Robert não sabia do paradeiro de seu pai e, portanto, teve de se virar desde cedo. Quando tinha vinte e poucos anos, foi preso algumas vezes, e aos 33 foi parar na rua, viciado na droga que havia experimentado com a ajuda de sua mãe.

Claro que ele deve ter tomado algumas decisões erradas que o levaram a ser preso, mas também me perguntei se havia tido oportunidades concretas de tomar decisões melhores. Teve algum exemplo de como seria para alguém como ele escolher uma vida diferente? Provavelmente não.

O que isso significa para nós? Para mim, traz à memória a experiência de encontrar esperança em Jesus. Pela graça de Deus, alguém me mostrou que eu tinha a possibilidade de fazer essa escolha e viver de forma diferente.

Creio que fomos criados para viver em comunidade e, especialmente, em relacionamento com Deus. Quando sofremos pobreza espiritual, quando não temos um relacionamento com Deus, não há bens, pessoas ou mesmo experiências que preencham esse vazio. Sem Deus, podemos ter acesso a tudo o que o mundo oferece, mas continuaremos a nos sentir sozinhos e isolados.

Sei que todos nós nos identificamos com esse tipo de pobreza. Jesus contou uma parábola sobre um pastor e suas ovelhas:

> Se um homem tiver cem ovelhas e uma delas se perder, o que acham que ele fará? Não deixará as outras noventa e nove no pasto e buscará a perdida até encontrá-la? E, quando a encontrar, ele a carregará alegremente nos ombros e a levará para casa. Quando chegar, reunirá os amigos e vizinhos e dirá: "Alegrem-se comigo, pois encontrei minha ovelha perdida!". Da mesma forma, há mais alegria no céu por causa do pecador perdido que se arrepende do que por noventa e nove justos que não precisam se arrepender.
>
> Lucas 15.4-7

Nossa primeira reação é imaginar: "Por que alguém sairia para procurar uma ovelha se tem outras noventa e nove em segurança?". Essa conta não fecha para mim. A parte de meu cérebro que cuida de negócios diz: "Não seria melhor considerar aquela ovelha um prejuízo e dedicar seus esforços a cuidar das outras noventa e nove?". Felizmente, Deus não pensa dessa forma. Se pensasse, todos nós estaríamos em maus lençóis.

O pastor sabia que as noventa e nove ovelhas estavam em segurança e saiu para procurar a perdida; essa escolha mostra que Deus não se preocupa com alguns, mas com todos, até mesmo com aqueles que se desviaram, ou que fizeram escolhas erradas, ou que dormem debaixo de viadutos, ou na cobertura de prédios de luxo. Não há estipulações. Deus deixa os que estão em segurança e vai atrás dos que estão em perigo, mesmo que não seja agradável deixar as noventa e nove ovelhas para trás e mesmo que dê trabalho encontrar a perdida. É de suprema importância encontrar a perdida.

Precisamos permanecer continuamente atentos para aquele que é pobre de espírito, vulnerável, oprimido. Podemos nos identificar com ele, pois já estivemos na mesma situação. Se entendemos de verdade que já fomos a ovelha perdida, a consciência desse fato deve nos levar a ser a ponte para alguém em situação semelhante.

Neste mundo, uma pessoa só não é considerada importante. Existem, no mundo inteiro, mais de três bilhões de pessoas em situação de pobreza, vivendo com menos de 2,5 dólares por dia. Jamais seríamos capazes de fazer algo por três bilhões de pessoas. Nem conseguimos visualizar esse número. Não temos como ajudar tanta gente, mas temos oportunidade de fazer algo de bom sempre que vemos uma pessoa. Ela é alguém por quem Jesus morreu. Você está disposto a viver dessa forma?

Essa pessoa muitas vezes também parece inconveniente. Por que deixar noventa e nove em um lugar de segurança e conforto enquanto você sai para trazer uma só de volta ao aprisco? Pode ser uma trabalheira. No entanto, Deus nunca leva em conta quanto trabalho dará; as inconveniências se tornam mínimas em comparação com o valor da pessoa.

Nossa sociedade não celebra *um*. Já imaginou membros de sua igreja se levantarem na hora dos avisos no culto de domingo para dizer que arrecadaram recursos suficientes para comprar *uma* bicicleta ou para alimentar *uma* família? Não é tão impressionante quanto os números com dois ou três dígitos. No último versículo da parábola, contudo, Jesus diz: "Há mais alegria no céu por causa do pecador perdido que se arrepende do que por noventa e nove justos que não precisam se arrepender". Precisamos celebrar cada um.

Pergunto-me como seria se cada igreja, se cada um que diz amar Jesus adotasse a abordagem de tratar de *uma* pessoa. Sem dúvida há cristãos suficientes em Atlanta, minha cidade natal, para que cada um cuide de um sem-teto, uma criança abandonada ou uma família em situação de pobreza. Se adotássemos a mesma abordagem que Jesus, exerceríamos impacto enorme em nossas comunidades.

Impacto acima de perfeição

Costumo dizer para um amigo chegado: "Impacto acima de perfeição". É uma lembrança de que a maior parte das coisas não precisa ser perfeita; é mais importante que exerça impacto.

A busca por perfeição ao resolver um problema pode ser doentia, pois nos leva a permanecer em nossa zona de conforto ou nos deixa tão paralisados a ponto de nunca darmos um passo adiante. Concentre-se apenas no impacto. A execução não precisa ser (e nunca será) perfeita.

Por isso é difícil desenvolver uma solução exata para a pobreza sistêmica. Para dizer a verdade, creio que sempre será um tanto caótico. Um dia é diferente de todos os outros, e cada pessoa precisa de tipos diferentes de apoio. O que não muda é nossa determinação de tratar cada pessoa com o amor de Jesus e com a mente aberta para ouvir suas histórias.

Se nos concentrarmos demais na fórmula ou solução perfeita, não teremos condições de ajudar aqueles a quem estamos servindo. A mudança na vida das pessoas ao nosso redor acontece de forma orgânica, pois nos colocamos à disposição e reconhecemos que não o fazemos de forma perfeita. (Afinal, quem se relaciona com pessoas perfeitas?)

Quando tinha vinte e poucos anos, passava um bocado de tempo escrevendo. Escrevia bastante sobre minha infância e adolescência, especialmente sobre as decisões que havia tomado e porque havia resolvido começar a tomar decisões melhores. Compilei meus textos e produzi um livro autopublicado chamado *U-turn* [Meia-volta].

Certo fim de semana, fui convidado para falar a um grupo de jovens em um centro de detenção juvenil onde eu havia ficado anos antes. Lembro-me de olhar para o rosto daqueles jovens sentados nas mesmas cadeiras em que eu havia sentado, e foi como se tivesse a oportunidade de voltar ao passado e dar conselhos para mim mesmo.

Falei das minhas lutas, dos relacionamentos familiares e até do meu relacionamento com Deus. Quando terminei, tive oportunidade de conversar com eles pessoalmente, orar por eles e distribuir cópias do meu livro. Naquela noite, quando estava em casa, o telefone tocou várias vezes. O identificador de chamadas mostrava um número que eu não conhecia.

Quando atendi, uma jovem falou. Disse-me que era do centro de detenção no qual eu tinha acabado de falar. Ela havia saído às escondidas, encontrado um telefone e ligado para o número impresso na quarta capa do meu livro. Disse-me que tinha 16 anos e estava prestes a ser transferida para uma prisão para mulheres adultas, na qual teria de cumprir uma pena de quinze anos por estar junto com pessoas que haviam cometido um crime. Era culpada por associação.

"Não sei o que vou fazer", ela disse. Contei para ela sobre uma fase de minha vida em que eu também não sabia o que fazer. Não gosto de dar respostas prontas, pois a vida de cada pessoa é diferente, mas queria que ela soubesse que não estava sozinha e que eu havia passado por uma situação semelhante. Disse que ela podia ligar novamente se precisasse e encerramos a conversa.

Alguns minutos depois, recebi outra ligação de um número semelhante.

— Alô? É Terence Lester? Sarah acabou de falar com você? Sou a assistente social dela. Muito obrigada por atender!

— Claro. Foi bom conversar com ela. O que está acontecendo? — perguntei.

— Sarah disse para alguém que, se você não atendesse, ela iria cometer suicídio no centro de detenção.

Essa história me dá calafrios. Jamais imaginei que poderia ser tão fundamental para alguém. Só porque compartilhei minha história em um livro, coloquei meu número de telefone na quarta capa e atendi ao telefone quando tocou. Não fiz nada de extraordinário, nem tive uma conversa perfeita, mas, de algum modo, mudei a vida dela. Identifiquei-me com ela. Como eu, Sarah tinha partes quebradas, caóticas, solitárias e confusas.

Quando vemos as semelhanças que temos com outros, conseguimos identificar nossos vínculos de dor e carência e entender que estamos à procura de alguém que preencha o vazio. Por vezes, você e eu temos sorte de ser a pessoa que preenche esse vazio. Em outras ocasiões, encontramos outra pessoa ou outra coisa que supra a carência.

Você tem a oportunidade de decidir a quem você verá e o que fará em relação às pessoas com as quais interagir. Algumas serão pobres de espírito, algumas serão pobres no sentido material, e outras serão ambas as coisas. Haverá momentos em que essa pessoa será você mesmo. Se decidirmos juntos amar como Jesus e nos dedicar inteiramente a uma pessoa de cada vez, garanto que você e os outros ao seu redor serão beneficiados.

Coloque-se no lugar de outra pessoa. Descubra de que ela precisa. Diga que você a vê. Mostre que está presente. Diga aos quebrantados, exaustos, pobres e solitários que não estão sozinhos. Comece aquela distribuição de alimentos. Escreva aquele livro. Dê aquela palestra no presídio. Ofereça-se com mais frequência como voluntário. Dê comida aos sem-teto. Recolha o lixo. Defenda as vítimas de tráfico sexual. Faça algo, qualquer coisa, por uma pessoa de cada vez.

Não custará nada para você, mas mudará o mundo para todos, se você aprender a ver. Veja outros, não importa onde se encontrem, quem sejam ou o que estejam fazendo. Pode ser um gesto simples, como pegar o telefone e dizer para alguém que ele não está sozinho. Quando consegui mostrar para Sarah em nossa conversa por telefone que ela não era invisível, sua vida mudou, e a minha também. Veja as pessoas. Mostre para elas que você as vê. Olhe-as nos olhos e diga que são vistas.

Você é amado. Você é conhecido. Você é visto.

Disponha-se a ver os outros.

Agradecimentos

Ao refletir sobre as pessoas maravilhosas que possibilitaram que eu alcançasse alguns objetivos e que me ajudaram ao longo do caminho, vem à mente uma citação famosa atribuída ao conhecido matemático Isaac Newton. Tenho certeza de que ele sabia o que significava fazer sacrifícios para alcançar um alvo. Embora a citação seja breve, suas palavras se referem ao fato de que temos perspectivas melhores, vantagens maiores e mais clareza graças ao sacrifício e ao apoio de outros. Newton disse: "Se vi mais longe, foi por estar sobre os ombros de gigantes". Todos nós vemos mais longe e temos mais experiências de vida em virtude daqueles que prepararam o caminho para nós muito antes de existirmos e daqueles que nos sustentaram ao longo da jornada.

Dito isso, gostaria de agradecer especialmente às pessoas que me apoiaram e incentivaram em minha caminhada e que chegaram até a sacrificar seu tempo a fim de que eu pudesse ver mais longe.

A minha esposa Cecilia Lester: sem seu apoio e incentivo afetuosos o trabalho que nossa família realiza não seria possível. Você é minha rocha. Com semelhante admiração, agradeço a meus filhos, Zion Joy e Terence II. Obrigado por serem filhos extraordinários e por me incentivarem a continuar ajudando outros porque vocês acham que é legal.

Meus agradecimentos especiais a minha mãe, dra. Connie Walker, por nunca desistir de mim; a minha irmã, Ashley

Lester e seu filho Carmelo; e a meu pai, Tyrone Lester, com quem sou grato a Deus de poder me relacionar. Agradeço também a meu padrasto, Dewitt Walker, por me incentivar a me dedicar a uma vida de serviço.

A minha agente literária, Tawny Johnson: obrigado por sua visão para este livro desde o início e por crer que, um dia, chegaria às mãos dos leitores e os levaria a ver e amar os invisíveis.

A meu editor Al Hsu: sou grato por seu apoio ao longo do caminho. Obrigado por ver potencial neste livro e por aprimorá-lo.

A toda a família da editora IVP: agradeço por me receberem de braços abertos e por acreditarem que minha voz e minha história são relevantes.

Kellie McGann me ajudou a refletir sobre as ideias nestas páginas e processá-las. Minha esposa e eu somos gratos por seu trabalho dedicado e por seu apoio nessa jornada.

A um de meus amigos mais chegados, Harvey Strickland: muito obrigado por ser meu companheiro de caminhada desde o primeiro dia e por sempre acreditar neste projeto. A meu amigo Mike Fye, que se tornou um irmão, sou grato pelo fortalecimento. Também desejo agradecer de modo especial a Johnny Taylor e Ali Brathwaite pelo apoio a duas de minhas campanhas mais importantes que ajudaram a mudar muitas percepções falsas a respeito dos pobres. Valorizo sua amizade em minha vida. Agradeço também a James Brookshire, que caminhou comigo para Memphis em 2018 a fim de demonstrar união e dar apoio, e a sua esposa Shannon, que concordou que ele tirasse férias do trabalho para esse fim. Sou grato a minha assistente Julia Webb e a seu marido Michael Webb por orarem fielmente por este livro ao longo de todo o processo.

À equipe da organização Love Beyond Walls: sou muito agradecido pela vida de cada voluntário que serviu junto conosco até hoje e de todos aqueles que têm apoiado nosso trabalho de auxílio ao longo dos anos.

Meus agradecimentos ao amigo Dave Gibbons por me incentivar, ser um de meus mentores e escrever o prefácio deste livro. Obrigado por me impulsionar para que eu seja um líder forte e um "xelote". Agradeço, ainda, a Jeff Shinabarger da organização Plywood People, por criar um lugar especial para empreendedores sociais em que pessoas como eu podem sonhar e tentar implementar ideias doidas, como fiz.

Por fim, um agradecimento especial a algumas pessoas que contribuíram para minha jornada nos últimos oito anos: pastor Brian Bloye, Mac Lake, Kevin Dunlap e A. J. McMichael. Não creio que estaria exercendo liderança se não fosse por seu investimento pessoal em mim.

Muito obrigado a todos por me apoiarem e por me permitirem estar sobre os ombros de gigantes.

Perguntas para reflexão e discussão

Introdução: Em busca de um lar
1. Você alguma vez se sentiu rejeitado? Quando e onde?
2. O que um lar significa para você? Como você o define?
3. O que as boas-novas significam para os excluídos?
4. Qual é sua definição de pobreza?
5. Quais são algumas características da pobreza no mundo atual?
6. De onde vieram suas crenças a respeito dos pobres?
7. Quais são alguns paralelos entre pobreza espiritual e material?

1. Desmistificando a pobreza
1. Você alguma vez se percebeu excluído? Qual foi a sensação?
2. Em sua opinião, por que pessoas em situação de rua são excluídas hoje em dia?
3. O que Deus pensa dos maus-tratos que os sem-teto e os pobres sofrem?
4. Você já perguntou a uma pessoa em situação de rua ou de pobreza o que é preciso para sobreviver mais um dia? Em caso afirmativo, o que essa pessoa disse?
5. O que é necessário para sair da pobreza?

2. Não há motivo para medo
1. O que 2Coríntios 8.9 significa para você?
2. Em sua opinião, por que as pessoas têm medo dos pobres?
3. Por que ver alguém necessitado desperta emoções intensas?
4. Por que temos medo de desconhecidos?
5. Como medimos o valor de alguém na sociedade atual?
6. De onde vem o valor de cada pessoa?

7. De que maneiras você teve medo dos pobres? Está disposto e encarar esses medos?
8. A seu ver, as classes sociais separam as pessoas na sociedade moderna? Em caso afirmativo, como e por quê?
9. Como Jesus deseja que cuidemos dos ignorados e dos pobres?

3. Criando espaço nas margens de suas páginas
1. Todos nós temos atividades demais. O que precisa ser removido de sua agenda?
2. Por que nossa cultura valoriza tanto o excesso de atividades?
3. O que você poderia fazer com mais frequência para ajudar outros?
4. O que aconteceria se dedicássemos mais tempo a edificar pessoas, em vez de construir depósitos maiores para nossos bens?
5. Como o mundo seria diferente se criássemos espaço em nossa vida para os vulneráveis, os marginalizados e os que não têm voz?

4. Quanto é suficiente?
1. Em que ocasiões você sentiu que tem mais que o suficiente?
2. O que você faz com seus excedentes?
3. Como poderiam ser usados para ajudar alguém?
4. Em sua opinião, todos são responsáveis pelos pobres? Em caso negativo, quem é?
5. Em sua opinião, Deus quer que todos nós tratemos da questão da pobreza? Em caso afirmativo, por quê?
6. De que maneira a cobiça nos impede de ajudar os pobres?

5. A ignorância pode ser prejudicial
1. De que maneira a ignorância é prejudicial?
2. Você já foi ignorante a respeito de algo e, consequentemente, prejudicou alguém? Pediu perdão?

3. Você acredita que Deus nos chama a tratar das falhas que não vemos em nós mesmos? Em caso afirmativo, como fazê-lo?
4. De que modo podemos confrontar nossa ignorância e ter mais amor, como Cristo?

6. Você faz parte da solução
1. Identifique três maneiras pelas quais você pode exercer impacto positivo no mundo.
2. Você já fez um levantamento de seus dons espirituais para saber quais são e como podem ser usados para Deus?
3. Como você pode usar seus dons para ajudar pessoas em situação de pobreza?
4. Cite o nome de algumas pessoas que o inspiram a viver corajosamente.

7. Comunidades diferentes, necessidades diferentes
1. O que você aprendeu em ocasiões em que esteve em uma comunidade ou lugar diferente do seu? O que aproveitou dessa experiência?
2. O que gostaria de ter sabido antes de entrar nessa comunidade?
3. A seu ver, de que maneira nos isolamos com base em conceitos equivocados a respeito de diferentes comunidades?
4. Por que a diversidade é importante para Deus?
5. Cristãos devem aprender técnicas de diversidade cultural? Por quê?
6. A falta de experiência com diversidade pode nos impedir de ajudar necessitados? Por quê?
7. Como podemos ajudar aqueles que lidam com problemas de saúde mental?
8. O que você tem feito para se preparar para caminhar com essas pessoas?

8. Dignidade e como ver as pessoas

1. Em sua opinião, por que é difícil valorizar a dignidade dos pobres?
2. Você alguma vez desconsiderou os pobres? Por quê?
3. A seu ver, como Jesus valorizaria aqueles que são desconsiderados?
4. O que a palavra *dignidade* significa para você? De onde vem a dignidade humana?
5. Como podemos garantir que os pobres saibam que têm valor e dignidade?
6. De que maneira o preconceito é um obstáculo para que pessoas ouçam as boas-novas?
7. O que você faria se sentisse que não tem espaço ou não é bem-vindo em algum lugar?
8. Como você imagina que pessoas em situação de rua e de pobreza se sentem quando não são bem-vindas?

9. Criando comunidades

1. De que modo uma comunidade saudável pode mudar a vida de uma pessoa?
2. Por que Deus considera importante que vivamos em comunidade?
3. De que maneira uma comunidade mudou sua vida?
4. Por que é difícil pessoas em situação de rua ou de pobreza serem convidadas a fazer parte de uma comunidade?
5. O que você pode fazer para formar uma comunidade com pessoas diferentes de você?

10. Criando ritmos constantes

1. Por que temos a tendência de resistir à ideia de servir a outros?
2. Quais são alguns empecilhos para que o serviço se torne parte de seu modo de vida?

3. Como você pode tornar o serviço a outros parte regular de sua vida?
4. Por que costumamos não considerar o serviço algo divertido ou agradável?
5. O que é necessário fazer para não criar uma mentalidade de listas?
6. Por que devemos nos esforçar para aprimorar o aspecto relacional do serviço?

Conclusão: Cada um é importante
1. O que significa buscar o indivíduo perdido, como Jesus propôs em Lucas 15?
2. Por que um só indivíduo é tão importante?
3. Você alguma vez se sentiu como a ovelha perdida? Como foi essa experiência?
4. Como você pode começar a ver as pessoas e buscar aquela que está perdida?
5. Como pode fazer o excluído perceber que ele é alguém a quem Deus quer prover amor e graça?
6. Por onde você começará depois de ler este livro?

Sobre a organização
Love Beyond Walls

O movimento Love Beyond Walls nasceu da esperança de que o amor é maior que os muros. Uma das características de maior destaque de nossa organização é o enfoque sobre as histórias daqueles que não são vistos. Temos um compromisso com pessoas pelas quais o mundo passa sem notar, pois cremos que pessoas em situação de pobreza e que dormem nas ruas têm uma vida e uma história tão valiosa quanto a nossa.

Existimos para prover dignidade aos sem-teto e aos pobres ao lhes dar voz, visibilidade, abrigo, comunidade, cuidados pessoais e serviços de apoio para que alcancem a autossuficiência.

E-mail: info@lovebeyondwalls.org
lovebeyondwalls.org
twitter.com/lovebeyondwalls
facebook.com/lovebeyondwalls
vimeo.com/lovebeyondwalls
instagram.com/lovebeyondwalls

Notas

Introdução

[1] Joseph R. Myers, *The Search to Belong: Rethinking Intimacy, Community, and Small Groups* (Grand Rapids: Zondervan, 2003).
[2] Howard Thurman, *Jesus and the Disinherited* (Boston: Beacon Press, 1996), p. 13.
[3] Barbara Ehrenreich, citada em Tavis Smiley e Cornel West, *The Rich and the Rest of Us* (Philadelphia: Free Library of Philadelphia, 2012), p. 22.
[4] Martin Luther King Jr., "Dr. Martin Luther King's Visit to Cornell College", Cornell College News Center, acessado em 26 de janeiro de 2019, <https://news.cornellcollege.edu/dr-martin-luther-kings-visit-to-cornell-college>. King fez esse discurso em 15 de outubro de 1962.

Capítulo 1

[1] David Gaider, "David Gaider Quotes", *AZ Quotes*, acessado em 26 de janeiro de 2019, <www.azquotes.com/quote/672800>.
[2] Eleanor Krause e Isabel V. Sawhill, "Seven Reasons to Worry About the American Middle Class", Brookings Institution, 5 de junho de 2018, <www.brookings.edu/blog/social-mobility-memos/2018/06/05/seven-reasons-to-worry-about-the-american-middle-class>.
[3] Jill Rosen, "Study: Children's Life Trajectories Largely Determined by Family They Are Born Into", *Hub*, 2 de junho de 2014, <https://hub.jhu.edu/2014/06/02/karl-alexander-long-shadow-research>.
[4] Chad W. Dunn, citado em Sari Horwitz, "Getting a Photo ID so You Can Vote Is Easy. Unless You're Poor, Black, Latino or Elderly", *Washington Post*, 23 de maio de 2016, <www.washingtonpost.com/

politics/courts_law/getting-a-photo-id-so-you-can-vote-is-easy-unless-youre-poor-black-latino-or-elderly/2016/05/23/8d5474ec-20f0-11e6-8690-f14ca9de2972_story.html?utm_term=.f53fbcb4488>.
[5] Arthur Dobrin, "The Effects of Poverty on the Brain", *Am I Right?* (blog), *Psychology Today*, 22 de outubro de 2012, <www.psychologytoday.com/us/blog/am-i-right/201210/the-effects-poverty-the-brain>.
[6] Gillian B. White, "Escaping Poverty Requires Almost 20 Years with Nearly Nothing Going Wrong", *Atlantic*, abril de 2017, <www.theatlantic.com/business/archive/2017/04/economic-inequality/524610>.

Capítulo 2

[1] "Imago Dei ('image of God')", *PBS*, acessado em 2 de janeiro de 2019, <www.pbs.org/faithandreason/theogloss/imago-body.html>.
[2] "Statistics & Facts on the U.S. Cosmetics and Makeup Industry", *StatisticPortal*, <www.statista.com/topics/1008/cosmetics-industry>.
[3] Madre Teresa, "Quotable Quote", *Goodreads*, acessado em 26 de janeiro de 2019, <www.goodreads.com/quotes/71796-being-unwanted-unloved-uncared-for-forgotten-by-everybody-i-think>.
[4] Boa parte do restante desta seção é adaptada de "The Poor People's Manifesto", *Love Beyond Walls*, 11 de abril de 2018, <www.lovebeyondwalls.org/the-poor-peoples-manifesto>.
[5] Robert Bird; Frank Newport, "What Determines How Americans Perceive Their Social Class?" *Gallup*, 27 de fevereiro de 2017, <https://news.gallup.com/opinion/polling-matters/204497/determines-americans-perceive-social-class.aspx>.
[6] "What Is India's Caste System?" *BBC News*, 20 de julho de 2017, <www.bbc.com/news/world-asia-india-35650616>.
[7] Jessica McBurney, "Capitalism", *CommonLit*, 2016, <www.commonlit.org/texts/capitalism>.
[8] Para entender como o sistema penitenciário e o sistema de saúde exploram os pobres para obter lucro, veja Michelle Alexander, *The*

New Jim Crow: Mass Incarceration in the Age of Colorblindness (New York: New Press, 2012), p. 215; Michelle Alexander, "The New Jim Crow", *Course Hero*, acessado em 26 de janeiro de 2019, <www.coursehero.com/lit/The-New-Jim-Crow/introduction-summary>; Dominique Gilliard, *Rethinking Incarceration: Advocating for Justice That Restores* (Downers Grove: InterVarsity Press, 2018), p. 44.

[9] W. Bruce Walsh, Paul J. Hartung e Mark L. Savickas, *Handbook of Vocational Psychology: Theory, Research, and Practice*, 4ª ed. (London: Routledge, 2013), cap. 4.

[10] "Horatio Alger", *Wikipedia*, acessado em 2 de janeiro, 2019, <https://en.wikipedia.org/wiki/Horatio_Alger>.

[11] Gretchen Frazee, "The Minimum Wage Is Increasing in These 21 States", *PBS News Hour*, 1º de janeiro, 2019, <www.pbs.org/newshour/economy/the-minimum-wage-is-increasing-in-these-21-states>.

[12] Howard Thurman, *Jesus and the Disinherited* (Boston: Beacon Press, 1996), p. 2.

[13] "No Safe Street: A Survey of Hate Crimes and Violence Committed Against Homeless People in 2014 & 2015", National Coalition for the Homeless, julho de 2016, <https://nationalhomeless.org/wp-content/uploads/2016/07/HCR-2014-151.pdf>.

[14] "2 Charged in Taped Attack on NJ Homeless Man", *NBC New York*, 20 de dezembro de 2011, <www.nbcnewyork.com/news/local/Homeless-Man-Attack-Video-Tape-NJ-Wall-Township-135886238.html>.

[15] "L.A. Man Arrested, Accused of Setting Homeless Woman on Fire as She Slept on Van Nuys Bus Bench", *Daily News*, 28 de agosto de 2017, <www.dailynews.com/2012/12/27/la-man-arrested-accused-of-setting-homeless-woman-on-fire-as-she-slept-on-van-nuys-bus-bench>.

[16] Eleanor Goldberg, "Attacks on the Homeless Jumped 23 Percent Last Year: Report", *Huffington Post*, 31 de março de 2014, <www.huffingtonpost.com/2014/03/31/homeless-attacks_n_5063662.html>.

[17] Love Beyond Walls é uma organização que minha esposa e eu iniciamos em 2013 para dar assistência aos que enfrentam situação de rua e de pobreza e, ao mesmo tempo, mobilizar pessoas para cuidar dos pobres. Basicamente, a Love Beyond Walls foi criada como um contraponto esperançoso diante de uma sociedade que constrói muros cada vez mais altos. Focalizamos as histórias daqueles que se encontram em situação de rua e de pobreza e trabalhamos com eles. Como organização, cremos que o amor prático supera essas barreiras.

[18] Crystal Ayres, "How Poverty Increases Crime Rates", *Vittana*, 15 de janeiro de 2017, <vittana.org/how-poverty-influences-crime-rates>.

[19] Ken Cuccinelli, "Texas Shows How to Reduce Both Incarceration and Crime", *National Review*, 18 de maio de 2015, <www.nationalreview.com/2015/05/how-could-we-have-fewer-prisoners-without-more-crime-ask-texas>.

Capítulo 3

[1] Richard A. Swenson, *Margin: Restoring Emotional, Physical, Financial, and Time Reserves to Overloaded Lives* (Colorado Springs: NavPress, 2004), p. 27.

[2] Idem, p. 63.

[3] Silvia Bellezza; Neeru Paharia; Anat Keinan, "Research: Why Americans Are So Impressed by Busyness", *Harvard Business Review*, 15 de dezembro de 2016, <https://hbr.org/2016/12/research-why-americans-are-so-impressed-by-busyness>.

[4] "United States of America", *Operation World*, acessado em 22 de março de 2019, <http://www.operationworld.org/country/unsa/owtext.html>.

Capítulo 4

[1] Craig Greenfield, "What Does Jesus Mean, 'The Poor Will Always Be with You'?", *Relevant*, 29 de junho de 2016, <https://relevantmagazine.com/reject-apathy/what-does-jesus-mean-poor-will-always-be-you>.

[2] David W. Jones, "Was Jesus Rich or Poor—and Why Does It Matter?" *Intersect*, 7 de julho de 2016, <http://intersectproject.org/faith-and-economics/jesus-rich-poor-matter>.

[3] Henri J. M. Nouwen, "Our Poverty, God's Dwelling Place: August 18", *Henri Nouwen Society*, <https://henrinouwen.org/meditation/poverty-gods-dwelling-place/>.

[4] Michael Kahn, "Next to Former Peachtree-Pine Shelter, New Residential Tower Announced", *Curbed Atlanta*, 26 de janeiro de 2018, <https://atlanta.curbed.com/atlanta-development/2018/1/26/16935010/peachtree-pine-closed-new-high-rise-apartments>.

Capítulo 5

[1] Northeastern University, "Human Behavior Is 93 Percent Predictable, Research Shows", *Phys.org*, 23 de fevereiro de 2010, <phys.org/news/2010-02-human-behavior-percent.html>.

[2] Derek Thompson, "Busting the Myth of 'Welfare Makes People Lazy'", *Atlantic*, 8 de março de 2018, <www.theatlantic.com/business/archive/2018/03/welfare-childhood/555119>.

[3] Martha T. S. Laham, "Fastest-Growing Segment of the Homeless Population May Surprise You", *Huffington Post*, 7 de junho de 2017, <www.huffpost.com/entry/fastest-growing-segment-of-homeless-population_b_10201782>.

[4] "Dignity Museum", *Love Beyond Walls* (blog), acessado em 26 de setembro de 2018, <www.lovebeyondwalls.org/category/love-beyond-walls-story/>.

Capítulo 6

[1] "Black Man Jailed After Trying to Pay Burger King with $10 Bill, Lawsuit Claims", *NBCNews*, 18 de maio de 2018, <www.nbcnews.com/news/us-news/homeless-man-jailed-three-months-after-trying-pay-burger-king-n875346>.

² Michael Eric Dyson, *April 4, 1968: Martin Luther King, Jr.'s Death and How It Changed America* (Philadelphia: Basic Civitas Books, 2008), p. 9.
³ Scott W. Allard, "Why Poverty Is Rising Faster in Suburbs Than in Cities", *Conversation*, 31 de maio de 2018, <https://theconversation.com/why-poverty-is-rising-faster-in-suburbs-than-in-cities-97155>.

Capítulo 7
¹ *Voiceless: A Documentary of Systemic Poverty*, Love Beyond Walls, acessado em 7 de janeiro de 2019, <https://vimeo.com/222830083>.
² Jane E. Myers; Tomas J. Sweeney, "The Indivisible Self: An Evidence-Based Model of Wellness", *Journal of Individual Psychology* 60, n° 3 (2004): p. 234-45, <https://libres.uncg.edu/ir/uncg/f/J_Myers_Indivisible_2004.pdf>.
³ Muitos *sites* educacionais usam versões da Roda do Bem-Estar. Este de Princeton traz uma ferramenta para autoavaliação. Veja "Wellness Wheel & Assessment", *UMatter*, acessado em 7 de janeiro de 2019, <https://umatter.princeton.edu/action-matters/caring-yourself/wellness-wheel-assessment>.

Capítulo 8
¹ Martin Luther King Jr., *Strength to Love* (New York: Harper & Row, 1963), p. 37.
² Susan Biali, "How to Stop Believing Lies Others Told You About You", *Psychology Today*, 4 de setembro de 2012, <www.psychologytoday.com/us/blog/prescriptions-life/201209/how-stop-believing-lies-others-told-you-about-you>.

Capítulo 9
¹ Katie Nodjimbadem, "The Racial Segregation of American Cities Was Anything but Accidental", *Smithsonian.com*, 30 de maio de 2017, <www.smithsonianmag.com/history/how-federal-government-intentionally-racially-segregated-american-cities-180963494>.

[2] George Cronk, "George Herbert Mead (1863–1931)", *Internet Encyclopedia of Philosophy*, acessado em 7 de janeiro de 2019, <www.iep.utm.edu/mead>.
[3] Terence Lester, "Throwback", 2003. Usado com permissão.
[4] Dave Gibbons, *Xelotes: O desafio de viver na contramão da normalidade* (São Paulo: Mundo Cristão, 2015).
[5] Martin Luther King Jr., *The Measure of a Man* (Minneapolis: Fortress Press, 2001), p. 43
[6] Bob Goff, *Love Does: Discover a Secretly Incredible Life in an Ordinary World* (Nashville: Thomas Nelson, 2012), p. 1. [*O amor faz*. São Paulo: Fundamento, 2016.]

Compartilhe suas impressões de leitura,
mencionando o título da obra, pelo e-mail
opiniao-do-leitor@mundocristao.com.br
ou por nossas redes sociais

Esta obra foi composta com tipografia Palatino
e impresso em papel Pólen Soft 70 g/m² na gráfica Assahi